U0110324

20 北宋～南宋

西元960～1126年

［注音本］

全新 吳姐姐講歷史故事

吳涵碧◎著

目錄

【第443篇】

水滸傳中的宋江。

〈正史中的宋江〉刊出之後，許多讀者表示非常喜歡這一類題材，因爲這與〈正史中的楊家將〉、〈宋史中的包拯〉一般，能夠滿足讀者的好奇心與求知慾。讓大家了解，人們心目中的有名歷史人物，到底在正史中的記載如何。

還他歷史人物的本來面目，原是吳姐姐講歷史故事的宗旨。雖然這方面的材料不好找，正史上的記載也不可能寫得與民間流傳故事一般神龍活現，有聲有色，但是我還是願意全力以赴，以不負讀者們長期的厚愛與支持。

介紹了宋史紀事本末之中，只有短短一百七十六個字的宋江。讓我們再回過頭來，看一看水滸傳中的宋江，雖然對許多讀者而言，宋江是熟悉到不能再熟悉的人物。

在施耐庵筆下的宋江是這樣的：姓宋，名江，字公明，鄆城縣宋家村人氏，因爲他面黑身矮，人人都喚他黑宋江。又因爲他平日孝順，且愛仗義疏財，人皆稱他做『孝義黑三郎』。上有父親在堂，母親早喪，下有一個弟弟，喚做鐵扇子宋清。

這宋江在鄆城縣做押司（官名，宋時地方官的屬吏，掌理文書、官司

招文

等事務），他刀筆精通（刀筆猶指現代的律師或法官，其筆如利刀，能夠殺傷人），吏道純熟，再加上喜愛學習槍棒，學得多般武藝。平日愛好結識江湖好漢，只要有人來投奔他的，沒有不加以接納，不但住宿膳食一概供給，而且整天陪伴左右，毫無厭倦之意。

宋江這人端的是揮金似土，人家向他借錢，從不推託。每每排難解紛，周全他人性命。時常送人棺材藥餌，濟人貧苦，賙人之急，扶人之困。因此在山東河北一帶聞名，都稱他爲『及時雨』，把他比爲天上降下的及時雨一般，能救天地萬物。

話說有一天，鄆城縣來了一件緊急公文，來人何濤對宋江說：『敝府管下黃泥岡上，以晁蓋爲首一夥賊人，一共是八個，用蒙汗藥麻翻了北京大名府梁中書差遣送蔡太師蔡京的生辰綱軍健十五人，劫走十一擔金珠寶貝。』

宋江聽了，大吃一驚，肚裏尋思道：『晁蓋是我的心腹兄弟，他如今犯了彌天大罪，我若不救，他的命就丟了。』

於是，宋江趕緊通風報信，嚇得晁蓋、公孫勝、劉唐、吳用等七人立刻決定『三十六計，走爲上策』，前往梁山泊。

不久，宋江認識了閻婆惜。在縣西巷內借了一所樓房烏龍院，安頓了閻婆惜與她的母親閻婆，把閻婆惜打扮得滿頭珠翠，遍體綾羅。但是，過了沒多久，宋江與閻婆惜逐漸疏遠，原來因爲宋江是個學武好漢，愛使槍棒，不願意多近女色。另外一方面，閻婆惜也看上了宋江的徒弟張文遠。

張文遠有個外號叫小張三，他生得是眉清目秀，脣紅齒白。平日愛去風月場所，學得一身風流俊俏，品竹調絲，無一不會，剛好對上酒色娼妓閻婆惜。兩人眉來眼去，一會兒工夫就鬧得街坊上無人不知。

宋江也聽到了風聲，他心想『反正又不是我父母匹配，明媒正娶的妻子，我沒來由惹什麼氣，不上門便是了。』

話分兩頭說，有天晚上，宋江從縣裏出來，遇到一個身著黑綠羅襖，下著八搭麻鞋，腰裏挎著一口腰刀，背著一個大包，走得汗雨通流，氣急喘促的漢子，攔住了宋江。原來他是晁蓋手下，上了梁山泊的赤髮鬼劉唐。

劉唐特來拜見宋江大恩人，並且稟報他：『晁頭領哥哥如今做了梁山泊之都頭領，吳學究當了軍師……只想兄長大恩，無可報答，特使劉唐帶來一封信及黃金一百兩謝押司。』

宋江只取了書信及一條金子放在招文袋（即手提公文包），就打發劉唐上路：『賢弟保重，再不可來，此處危險。』

送別了劉唐，宋江乘著滿街月色，信步走回。半途碰到閻婆，死扯活拉，不斷地說：『只看老身薄面，同走一遭烏龍院。』

到了烏龍院，閻婆惜原以為張文遠來了，等到發現是宋江，翻身又轉上樓去，倒在床上，愛理不理。然後兩人吃完了飯，睡到五更，宋江氣憤地走出去，口裏罵道：『你這個賤人好生無禮！』閻婆惜也扭過身回罵：『你這不羞臉！』

走了一半，宋江忽然想起招文袋遺忘在烏龍院，嚇得慌慌急急奔回閻婆家裏。

閻婆惜在家，早已發現了招文袋，看到晁蓋寫給宋江的信，冷冷笑道：『原來你和梁山泊賊相來往，看老娘慢慢消遣你。』

宋江回到烏龍院，與閻婆惜大起爭執。最後，宋江發現了招文袋，一不做二不休，兩手便來奪，婆惜那兒肯放，宋江在床邊捨命地奪，婆惜死不肯放。那婆娘見宋江搶刀在手，大叫『黑三郎殺人也！』話沒說完，宋江右手刀落，婆惜鮮血飛出。最後，宋江也只有被逼上梁山，落草爲寇。

宋江的故事在中國流傳如此之廣，可能有一個原因，中國社會之中，多半是『各人自掃門前雪』，很少有挺身而出、行俠仗義的人。我們太缺乏有正義感的及時雨，所以對水滸傳中的好漢嚮往不已。

無論如何，水滸傳是一部了不起的小說，值得每一個中國人細細品味，水滸傳的人物也成為中國人思想行為的一部份。

【第444篇】

宋與金之間的秘密外交。

講完了〈水滸傳中的宋江〉，我們知道，宋江的故事，大半來自民間傳說。但是水滸傳中所描述的形形色色，卻頗能反映宋徽宗一朝的腐敗。

宋徽宗即位時，正是遼朝最後一位君主天祚帝在位。天祚帝愛好遊樂又昏庸無能，所以在他的治理下，遼朝的情況惡劣。遼的軍隊由於貪圖享受，也逐漸失去當年勇猛的戰鬥力。因此，金太祖以很少的兵力起來抗遼，遼軍竟然被打得落花流水（請參考前面〈金太祖設國宴〉篇）。

宋朝聽說金打敗了遼，不由一陣狂喜。這話怎麼說呢？

原來，宋朝從宋太祖開始，就想收復被遼佔領的燕雲十六州，可是宋朝重文輕武，國勢積弱，這個願望始終未能實現。澶淵之盟以後，宋朝每年又要向遼送『歲幣』，不但增加了宋朝的財政負擔，而且宋朝君臣心中總是滿懷委屈與羞恥感。

因此，當宋朝聽說遼朝勢衰，立刻在政和元年，派遣端明殿大學士鄭允中充當『賀生辰使』，以宦官童貫爲副使，帶了一大批的珍珠寶貝出使遼國，打探虛實。遼朝人見宋朝派了一個太監來，忍不住掩嘴暗笑。童貫看到遼朝果然腐敗，完全沒有當年蕭太后打敗楊家將的英勇，也不由得眉開眼笑。

童貫留在遼的時候，有一天晚上，值夜的侍吏跑來告訴童貫，說是有一個叫馬植的人，有重要的事，要私下裏祕密與童貫商談。

詭計多端的童貫眉毛一挑，馬上回答：『快請。』

於是，馬植到了童貫的密室，他告訴童貫天祚帝是如何的荒淫無道，女眞是如何憎恨遼人，遼國是非亡不可，宋朝不如與金國聯合，一舉滅遼。

童貫一聽之下，大爲心動，兩個人興高采烈談了一夜。最後，童貫決定把馬植當作一件寶貝，帶回宋朝。並且把馬植改個新名字，稱爲李良嗣。

這馬植者，世世代代爲遼國大族，官位高到光祿卿，由於行爲卑鄙，在遼國被人所不齒。所以逮住機會，用出賣國家達成報復的目的。

馬植，不，現在該改口爲李良嗣，跟著童貫回到京師。童貫立即獻寶似的向滿朝文武大臣推薦，並且叩見宋徽宗。

他對宋徽宗說：『女眞恨遼入骨，而天祚帝荒淫無道。宋朝如果自登州、萊州入海，與女眞結好，與女眞相約攻遼，則遼國可圖也。』

宋徽宗聽了，頻頻點頭。李良嗣見徽宗聽得聚精會神，又接著說：『遼國必亡，陛下顧念舊時宋朝人民在遼魔掌之下，生靈塗炭，興兵伐遼，恢復中國過去的疆土，代天譴責，以治伐亂。宋軍一出，所有人民必然簞食壺漿以迎王師。』

簞食壺漿以迎王師，這句話出自孟子，意思是說商紂無道，周文王的軍隊一出，所有百姓高興得用竹籃子盛飯，用水壺裝著羹湯，歡天喜地的迎接文王的軍隊。

周文王乃古代有名的賢君，宋徽宗見李良嗣把他比喻爲周文王，大爲興奮，立刻把李良嗣改名爲趙良嗣，讓他姓宋朝君王的姓，官拜祕書丞。聯金滅遼的計畫，宋徽宗雖然興趣很大，朝廷中穩健派的大臣卻期期不以爲然。尤其大家都心知肚明，在宋徽宗無止境的揮霍之下，宋軍積弱根本不堪一擊。

事有湊巧，當時金人與遼人展開大戰，遼東地方大亂，住在當地的一批漢人，由高藥師等人率領，乘著一條大船逃難。

這大船漂啊漂的，最後，漂到山東半島附近，被扣留住了。登州知州王師中把高藥師等兩百人抓來問案，一問之下，才曉得金人果然厲害。

登州知州王師中就把這件事來龍去脈，源源本本上了一個奏章給宋徽宗。宋徽宗一看，高興地說：『此與趙良嗣所言，一模一樣。』又勾起了聯金滅遼的計畫。

於是，宋徽宗與蔡京、童貫商議之後，在重和元年，派武義大夫馬政率領高藥師等人，以買馬爲名義，去拜見金太祖完顏阿骨打。當然這一趟，又少不得攜帶大量名貴的禮物。

金太祖同意了宋朝的計畫，不久，也派出使者，前往宋朝答聘。於是，雙方之間，展開了非正式的祕密外交，這是宋金之間『海上之盟』的開始。以後又陸陸續續展開談判，因爲宋金的密使都偷偷取道渤海，所以稱爲海上之盟。

原則上是宋取遼的南京，金取遼的中京，雙方夾攻。

宣和元年，馬屁精王黼爲了討好宋徽宗，特推薦擅長繪畫的陳堯臣出使遼朝，要他畫一張天祚帝的像回來，看看他氣色如何，是否有亡國之相。陳堯臣回國之後，帶著畫去見宋徽宗道：『遼主望之不似人君，若以相法言之，危在旦夕之間。』

宋徽宗聽了大樂。結果，陳堯臣的相術沒錯，天祚帝果然有亡國之相。但是宋、金夾攻的結果，金兵勇敢善戰，一路勢如破竹，可是宋朝的軍隊，卻很丟臉的被遼兵打敗。金兵最後滅亡遼國。遼自耶律阿保機稱帝到天祚帝被俘，共二百一十年。遼國滅亡之後，遼的土地都被金佔領，宋朝不但收復燕雲十六州的願望破滅，而且被金人看穿是個紙老虎。

閱讀心得

【第445篇】浪子宰相李邦彥。

金朝能夠勢如破竹，宋朝卻連連吃敗仗，與宋朝的內政極有關係。我們就來看看這段時期內宋徽宗的朝政。

宋徽宗自命風流，有浪子皇帝的雅號。既然有了浪子皇帝，少不得有個浪子宰相陪襯。這位浪子宰相就是歷史上著名的李邦彥。

李邦彥，字士美，父親名李浦，是個身懷絕藝的銀匠，非常寵愛這個從小慧黠的寶貝兒子。他見李邦彥十分熱中名利，也幫他收買人心，凡是舉人光顧，總是半買半送價錢昂貴的上好銀器。

人都有貪小便宜的毛病，久而久之，名聲傳開。凡是河東地帶上京城去參加考試的舉人，都要繞道懷州，光顧李家的店鋪。有些個落魄書生，李浦不但不收他們的錢，反而周濟一些盤纏。當時人稱此爲『結秀才緣』。在這種『後花園贈金』式的人際關係之下，李邦彥三個字，逐漸在京師傳開。他後來補了太學生，大觀二年，授祕書省校書郎。

宋朝汴京城內的大相國寺，號稱爲天下第一名剎。在相國寺南邊有條著名的錄事巷，就是妓女户。李邦彥終日留戀此處，他人長得風流俊俏，舉止爽朗，又會說笑話，可稱爲標準油嘴滑舌的公子哥兒。再加上家裏有錢，出手大方，不多時，成爲錄事巷中最受歡迎的恩客。

此外，李邦彥頗有幾分歪才，他能夠把大街小巷流行的俚語連綴編爲詞曲，人人爭傳。李邦彥對此相當得意，自稱爲浪子，旁人也以浪子稱呼而不名。同時，李邦彥生長在民間，出身不高，對於辦瑣瑣碎碎，一般讀書人懶得打理的雜務最有一手。他爲人又熱心，經常受同僚委託幫忙總務，所以人緣甚佳。

李邦彥有一個好友是宋朝有名的詞人——周邦彥。兩人有同名之緣，周邦彥也是個人品不高，生活浪漫的詞人，臭味相投，走得很近。

在前面〈周邦彥與李師師〉篇中，我們曾經説過，周邦彥與一代名妓李師師兩人感情很好。詞人秦觀秦少游曾以『遠山眉黛長，細柳腰肢嬝，粧罷立春風，一笑千金少。歸去鳳城時，説與青樓道，看遍潁川花，不似師師好。』形容李師師。

當宋徽宗還在當端王的時代，聽說李師師的美，十分好奇，曾經打扮成平民，親往錄事巷，一看究竟。

這一看之下，發現李師師果然名不虛傳，不是普通的美。尤其那一雙會說話的眼，驚心動魄，耐人尋味。會彈琴，會唱詞，才貌雙全，宋徽宗大爲傾倒。

後來，宋徽宗當了天子，還是對李師師念念不忘。天下豈有皇帝逛窰子的。據說，從中安排的，不是別人，正是浪子李邦彥。

當宋徽宗聖駕光臨錄事巷時，周邦彥湊巧也在李師師處。情急之下，只得躲到床底下。

於是，周邦彥親眼目睹宋徽宗如何親自焚香，李師師如何用薄刃小刀切開蜜橙，兩人如何親熱溫存。後來，周邦彥把這段經過，寫成『少年遊』。不一會兒，整個京師傳遍少年遊，人人都知道浪子皇帝如何荒唐。

宋徽宗氣壞了，將周邦彥予以撤職，押貶出京。等到宋徽宗聽到李師師唱周邦彥臨走之前，百感交集寫的新詞『蘭陵王』，又起了愛才之心，把周邦彥留下。這一段經過，本書在前面說得很清楚。

據說，宋徽宗去李師師家那一夜，已有兩個『邦彥』先在，一個是躲在床下的周邦彥，另外一個就是浪子李邦彥了，此說不知是真是假。不過，從此之後，李邦彥備受宋徽宗寵愛，也許與他二人同是逛妓院的狎客有關係。

宋徽宗自命風雅，對花花草草特別有興趣。有一回，他在一片竹林之中，造了一棟小樓，頗爲不俗，宋徽宗愈看愈滿意，卻不知此樓該取什麼名字才好。他朝思暮想，總想不出合適的名字，十分煩惱。

也許是朝有所思，夜有所夢。有一天夜晚，宋徽宗昏昏睡去，忽然之間，有位全身金紫色的人跑到床前，對宋徽宗說：『不如命名爲倚翠，取杜甫詩意也。』

『倚翠，不錯，你是何人？』

『臣乃太平宰相也。』說著，金紫人忽然消失了。

宋徽宗自夢中驚醒，不斷咀嚼這兩個字，倚翠，不錯，正是倚翠。

第二天早上，宋徽宗還沈醉在『倚翠』二字中，正好李邦彥前來晉見徽宗。徽宗一向喜愛這位浪子，只要有浪子在的地方，必然是笑聲琅琅。

他見到浪子，隨口問道：『朕苑中小樓，下有修竹，當以何爲名？』

李邦彥不假思索，立刻答以『倚翠』，正好與夢中金紫人所說的一模一樣。

宋徽宗好生詫異，心想：『莫非這是天意，李邦彥就是最適合輔助朕的太平宰相。』

不多時，李邦彥就被任命爲次相，這位以『賞盡天下花，踢盡天下毬，做盡天下官』爲人生理想的浪子，果然如願以償登上相位。

閱讀心得

【第446篇】

眞假張覺。

在上篇〈浪子宰相李邦彥〉之中，我們說到自誇『賞盡天下花，踢盡天下毬，做盡天下官』的浪蕩子，竟然如願以償，當上了宰相。

這個消息在靖康初年傳開以後，本已瞧不起宋朝的金人更暗暗好笑。他們傳誦著浪子皇帝與浪子宰相的風流韻事，搖頭嘆息道『宋朝果然無人』。

李邦彥究竟有何能耐當上宰相？當然不可能是宋徽宗做夢夢到的（見

上篇），最主要的是他擅長於巴結宦官，宦官之中也需要推一個士人出來為相。譬如說自稱為蘇東坡私生子的梁師成，李邦彥就拍足了馬屁。與徽宗關係很好的高俅，也是李邦彥傾心交往的玩伴。

高俅這個在『水滸傳』中的混球，到底是如何被宋徽宗看上的？我們這兒可以補述一段小故事。

原來高俅是駙馬都尉王晉卿府中的小吏，他曾經跟過蘇東坡做事，筆下還有些文采，也是一個巧言令色的壞傢伙。

有一回，王晉卿入王府，剛好宋徽宗（那時還是端王）要上朝，需要篦刀掠鬢（篦是梳理毛髮用的齒密的小梳子，鬢指的是臉上靠近耳邊兩頰上的頭髮），端王忘了帶篦刀子，就向王晉卿借來用。拿來一看，不禁讚道：

『這個模樣甚爲新式，而且細巧可愛。』王晉卿一聽，知道端王一向喜愛脫俗的小玩意，馬上接口道：『剛巧，我最近新造了兩副新的篦刀子，過一會兒，我派人給你送過去。』這趟差事就落到高俅身上。他先到店裏去趕著定做了一副用上好木料做的，鑲工極細的篦刀子，然後，馬不停蹄趕到端王府。

內侍告訴高俅：『端王正在踢毬。』

於是，內侍帶著高俅，穿過重重門戶，來到端王後園中的毬場。高俅躲在一旁，偷偷觀看端王的身手。只見那毬在端王的撥弄之下，脚踢肩打，像牢牢黏在身上似的，高俅一時忘形，拍手叫：『好！』

端王回頭一看，看到有人參觀，不但未發怒，而且對高俅的喝采很是得意，順口問道：『你也會踢毬？』

『略知一二。』

『那麼你來。』端王用脚尖把毬一挑，高俅正好接住，而且玩的花樣比端王還多。直看得端王眼花撩亂，流露出羨慕的眼光。

高俅表演了好一陣，才拿出王晉卿交代的竹篦子。端王稱讚：『篦刀子好，送刀子來的人更好。』於是，兩樣都留下來了。

高俅一脚踢出了這麼好的運氣，這也是古今少見。後來，端王一躍飛天，當了皇帝，高俅也成爲徽宗身邊的紅人。

總而言之，宋徽宗這位浪子皇帝，對於書畫音樂、奇花異草、盆景怪石、行獵打毬，一切被中國讀書人視之爲玩物喪志的玩意，他都有興趣，而且門檻極精。他身旁用的人，也全是同樣的調調兒。李邦彥對市井坊曲種種技藝，不止投其所好，而且口齒靈巧，善解人意。所以王黼下臺之後，李邦彥就當上了宰相。

這浪子怎能為相？所以在宣和五年十一月，他任相位不過一個月，抨擊的浪潮一波一波湧來，尤其是蔡京一黨更以此大作文章。

宋徽宗是個怕麻煩的皇帝，他看看情勢不對，心想，既然你們以『宰相望輕』來反對李邦彥，那不如再找來聲望最夠的人，他竟然又找了蔡京回來當宰相。

這一回是蔡京第四回當宰相，他年紀已過八十，眼睛看不見了，也不能寫字，走起路來巍巍顫顫，蹲下去就站不起來了，當然，下跪之禮也就非免了不可。他所有的政事都交給最小的一個兒子——蔡絛主持。

蔡絛頗有乃父之風，搜括的本領一流，不但幣帛、服飾、玉石他有興趣，上自金銀玉器，下至蔬菜瓜果全部都要沾手。李邦彥也只能掌管文書，一邊涼快去了。

蔡絛不但本人玩法，他更提拔大舅子韓梠擔任户部侍郎，朝廷中凡是與韓梠相合者，無不高升，否則被逐出勢力圈外，史書中稱之爲『中外搢紳，無不側目』。

蔡絛專權用事，他的長兄蔡攸愈加嫉恨。蔡攸也是一個無恥小人，向來與父親蔡京不合。於是蔡攸與李邦彥聯手向宋徽宗告密，把蔡絛整垮，逼老父蔡京退休（請參看〈蔡京與蔡攸〉篇）。

當宋朝蔡家父子彼此傾軋，爭權奪利的同時，金人正蠢蠢欲動，準備找機會向宋朝下手，偏偏又發生了張覺事件。

張覺是遼朝平州節度副使（亦作張瑴）。當遼天祚帝西奔，遼朝將亡之時，他率領了五萬壯丁、戰馬千匹投降了金朝。

後來，遼朝滅亡了，遼朝的遺臣看到張覺有地有兵，鼓勵張覺據地獨立。張覺深以為然，改稱保大三年，開始發號施令，並且向宋朝投降。宋徽宗大喜，立刻命令張覺為節度使。

宋徽宗樂了，剛即位的金太宗卻火大了，向宋朝索取張覺。宋朝情急之下，不敢開罪金人，找了一個酷似張覺的倒楣鬼，把他的腦袋砍下，送給金人，可惜卻引起了無法彌補的後遺症。

閱讀心得

【第447篇】郭藥師閱兵。

宋徽宗接納了遼朝降金的將領張覺，金人大爲憤怒。宋人情急之下，找了一個像張覺的替死鬼，把他的腦袋送去給金人。

不料，金人精明得很，一眼看到頭顱，馬上大聲嚷：『這是假的！』並且認爲，宋朝有心欺詐，揚言立刻進攻燕山，處罰宋朝。

宋朝這下子嚇慌了，不知如何面對金朝的興師問罪。迫不得已，命令張覺自殺，並且多送了兩個張覺的兒子一併向金謝罪。

張覺事件表面上是解決了，事實上卻留下很大的後遺症。

其實，宋朝早知自己不是金朝的對手，就不該收容張覺。既然收下了張覺，更不該金人一吼，又趕緊拱手送上，這件事對金人是既失信又示弱。從此，更爲金人所輕視。

同時，宋朝爲求息事寧人，每次對金朝的交涉，總是用粉飾太平的方法。動不動就搬出一大堆金銀財寶，悄悄塞到金朝使者手中，希望金朝能看在賄賂的上面，放過宋朝一馬。

殊不知這套笨方法，看在金人眼中，一方面拆穿了宋朝的紙老虎，知道宋朝外強中乾，另一方面，發現宋朝的奢侈浮濫，更助長了金朝的貪心，恨不得把宋朝一口吞下去。

恰好此時，金太祖完顏阿骨打去世，太宗吳乞買即位，鬥志昂揚。在宋徽宗宣和七年大舉南侵，兵分兩路，一路以斡離不進攻燕山，一路以粘沒喝進攻太原。

宋朝方面完全渾然不覺，還派遣宦官童貫駐兵太原，向金人交涉早先答應交還的雲州一帶。

童貫派了使者馬擴前往交涉。

粘沒喝見了馬擴，大吼一聲，怒氣沖天對他說：『你們是不是想要回土地？你要知道這山前山後都是我家領土，你們宋朝如果想贖罪，還得多送我們幾座城池哩！』

馬擴那敢與粘沒喝多理論，嚇得狼狽而歸，一五一十報告童貫。

童貫不以為然的道：『金人剛剛立國，能有多少兵馬？竟敢如此驕傲狂妄？』

『不不不，金兵兇悍，絕對不容輕視！』馬擴喘著氣向童貫再三表示，金兵相當勇猛，宋朝必須早做準備。

過了幾天，粘沒喝果然派了使者來，帶來一封措辭相當強硬的信，並且在信中說，金朝興師問罪的大軍已經開拔了。

童貫看到這兒，臉色一變，訥訥地問金使：『如此大事，為何不早來交涉？』

『大兵已發，用不著先通知。』金使倨傲地說：『宋朝應該趕快割讓河東河北之地，兩國以大河（黃河）為界，可以保持和平。』

說完，金使一擡頭，神氣地離開了。留下童貫一個人，長吁短嘆，憂愁沮喪，不知怎麼辦才好。最後決定，腳底抹油，早點開溜。

於是，童貫藉口要入京請示，慌慌忙忙離開太原。

臨走之前，太原知府張純孝挽留童貫道：『金人背叛盟約，大兵入寇，大王應當會同將士，努力抵抗。現在大王一去，必然人心動搖，則河東一帶，非宋朝所有。』

張純孝的話合情合理，童貫心中所想的只是如何保住老命，那兒顧得了太原安危。他對張純孝說：『童貫受命是宣撫百姓，非守國土也。你非要童貫留下，那還要元帥做什麼？』

童貫走遠了，張純孝嘆息：『平常這個童太師，生得虎背熊腰，不似一個宦官，倒還有幾許威望。事到臨頭，只知縮著腦袋，像老鼠一般，夾著尾巴逃之夭夭，不曉得他用什麼面目去見天子？』

童貫一去，粘沒喝馬上引兵攻下了朔州、代州，圍困太原。多虧張純孝盡力固守，金兵久攻不下。

如今，宋朝只有倚靠遼朝的降將郭藥師爲盾牌。郭藥師能征善戰，而且是個馬屁精。當他投降之初，宋徽宗相遇甚厚，賜以甲第姬妾，又在延春殿召見，郭藥師哭泣地對宋徽宗說：『臣在虜，聽到趙皇如在天上，不知今日得見龍顏。』

宋徽宗心花怒放，予以重用。後來，有人打小報告，說郭藥師有三十萬之衆，竟然不換下契丹服飾，改著漢裝，恐怕有二心，宋徽宗特派童貫去調查。

童貫到了營地，郭藥師恭恭敬敬在帳下行禮。童貫趕緊避開，搖搖手半帶譏諷地說：『你今日爲太尉，與我官位相等，如此多禮是爲何？』

郭藥師回答道：『童太師，父也，藥師只知拜我父，不知其他。』

這句話說得漂亮，把宦官童貫拍得樂陶陶。接著，郭藥師帶童貫去閱兵。兩人相伴騎馬到荒野，四下無人，郭藥師緩緩下馬，大旗一揮。頃刻之間，四面山頭站滿了鐵騎，他們手上拿的金晃晃的武器與太陽一般耀眼。童貫放眼望去，簡直數不清有多少人馬，佩服極了。

童貫回去之後，對宋徽宗說，郭藥師必能抗金，蔡攸也在一旁附和。

如今，金人果眞南下，郭藥師能抗金嗎？

閱讀心得

【第448篇】白時中會晤金朝使者。

金朝兵分兩路，大舉入寇，宋朝大爲恐慌。如今，能夠被宋朝當作盾牌擋一擋的，只有遼朝降將郭藥師。宦官童貫曾經前往參觀郭藥師閱兵，但見他大旗一揮，四周山頭，鐵騎耀日，不計其數，的確是名不虛傳的大將軍。

但是，上一回宋朝殺張覺的事，卻傷透了郭藥師的心。張覺原來也是遼朝降將，宋朝接納了張覺的投降。後來，金朝向宋朝要人，宋朝慌慌張張找了一個長得像張覺的倒楣鬼，把他的腦袋割了下來，送給金人交差。金朝一眼認出這是個冒牌貨，火冒三丈，以爲宋朝欺詐，聲稱要興師問罪。宋朝這下子怕了，不但立刻殺了張覺，而且把張覺兩個寶貝兒子一塊送給金人賠罪。（這段經過，請參考前面〈眞假張覺〉篇。）

當張覺兩個兒子捧著張覺的腦袋，滿面哀容，哭哭啼啼被送往金營之時，凡是遼朝的降將無不淚如雨下。郭藥師就當場發脾氣：『今天金人要殺張覺就殺張覺，明天金人要郭藥師的腦袋，那還不也馬上殺了郭藥師。』

宋朝出爾反爾的舉動，實在太不夠意思了。郭藥師心寒之餘，爲保腦袋，乾脆投降了金朝。宣和七年十二月，金朝斡離不的大軍尚未開到，郭藥師先舉了白旗迎上去，爲金朝當嚮導，引著金兵長驅深入。

由於郭藥師對宋朝的弱點實在瞭若指掌，當他對斡離不和盤托出宋朝的腐敗，使得金人更加輕視宋朝，決心兵指宋朝的京師汴梁（河南開封）。郭藥師為金兵充當開路先鋒的消息傳來，宋朝舉國震動。其實，早在童貫自太原歸來（請參考上篇）之後，宋朝就發現大勢不妙了。

金朝派了兩個使者，神氣活現前來，請求晉見宋徽宗。由於童貫在太原吃過虧，知道使者來勢洶洶，言語無狀，恐怕對皇帝有所不敬，因此不敢代為引見，宋朝只派了幾個大臣在尚書省廳接見。

金朝使者剛剛坐定位置，即刻大聲嚷嚷：『我國皇帝已命國相與太子郎君弔民伐罪，大軍兩路俱入！』此話一出，嚇得白時中、李邦彥與蔡攸都楞住了，臉色發白，不知如何是好。

李邦彥是浪子宰相，蔡攸是蔡京的兒子，前面都曾介紹過，這位白時中又是何許人呢？

白時中，字蒙亨，登進士第，政和六年，拜尚書右丞，中書門下侍郎。宣和六年，任太宰兼門下，官運亨通，因爲他也是個善於揣摩皇上心意的馬屁精。

當初，白時中在禮部任官，宋徽宗下了一道詔令，編輯天下所奏種種祥瑞。凡是文字不能描寫的，可以用圖畫表現。

白時中知道宋徽宗這個藝術家皇帝對於圖畫的造詣很高，白時中仔仔細細、加工加料完成了『政和瑞應記』，圖文並茂。裏面又是翔鶴，又是霞光，都是傳說之中太平盛世中才會出現的吉祥預兆。白時中又裝著看不見民不聊生，用『祥瑞之多，前所未有』，來歌功頌德，樂得宋徽宗心花怒放朵朵開。所以白時中才能做到朝中宰相的高位。

這會兒，短兵相接，金朝使者咄咄逼人，白時中就不管用了。他低聲下氣的試探：『可不可以告訴我們，如何才能使金朝緩兵？』

『要緩兵嗎？』金使狂妄地大笑：『很簡單，不過是割地稱臣罷了！』

這等於是未戰先降，衆大臣又傻了眼，呆呆站在廳上，誰也不敢開口。

等到把兩位使者恭恭敬敬請去休息，大家才七嘴八舌的討論，衆人想不出好辦法，只好重施故計，有意準備一份上好的厚禮讓使者帶回去。殊不知，每次都用賄賂的笨方法，如果國家強盛，那還沒有話說，偏偏國勢積弱，金人只會覺得你一次一次送，多麻煩啊！乾脆統統歸我所有，比較省事。

蔡攸的弟弟蔡翛自以爲聰明的說：『這兩個使者是派來打探虛實的間諜，我們應把這兩個使者殺掉。如此，金人就不知我國情況。』

這個主意實在蠢得可以，眾人望著蔡翛，不說一句話，蔡翛又改口道：『不然的話，我們至少也要把使者囚禁起來。』

蔡攸搖搖頭，不理會蔡翛的胡言亂語。他知道，萬一對使者有所不利，把金朝搞毛了，後果不堪設想。

此時此刻，金人大兵壓境，宋朝境內又盜賊蜂起，民怨載道。參議官宇文虛中建議宋徽宗，若要收拾人心必須下罪己之詔，方有回天之力。

所謂罪己詔就是皇帝下詔書，責備自己，爭取同情，於是宇文虛中代替宋徽宗起草詔書，大意是說『言路壅蔽，政事廢弛，多作無益，侈靡成風；災異處處可見而朕不知，眾人處處埋怨而朕不聞，如今想來，不勝後悔之至。』同時又下令中外直言極諫，減少宮廷開銷，停止大晟府、教樂所、行幸局、采石所，原來侵佔百姓的土地，也一一發還……宋徽宗並且誠懇的表示：『一一施行，今日起不吝改過。』做出一副改邪歸正，洗心革面的樣子。

閱讀心得

【第449篇】

吳敏不當蔡京女婿。

金兵入寇，派遣使者前來，宰相白時中、李邦彥、蔡攸等窮於應付。宋徽宗在內外交迫之下，頒佈罪己詔，希望能夠挽回局面。

奈何回天乏術，罪己詔也無法扳回頹勢。何況在方臘之亂以後，宋徽宗也曾裝模作樣下罪己詔，過了沒有多久，就像童貫所說的『東南人家飯鍋子尚未穩住』，他又急急忙忙恢復了造作局，重新任用梁師成、朱勔等小人爲他採辦花石，鬧得天怒人怨。《水滸傳》一書之中，把『官逼民反』描寫得入木三分。

宋徽宗接到郭藥師兵變的消息，也是憂愁焦急，惶惶不可終日。他一向以藝術家風流皇帝自許，幾時碰到如此艱難棘手之事。有意南下避難，而令太子留守。於是，派遣李棁出守金陵預先佈置，同時，發表太子爲開封府牧。

宋徽宗的心意，很容易被臣下看出。其中，有一位給事中吳敏忠心耿耿，他曾經在廟堂之上，請問宋徽宗：『金人違背盟約，陛下何以解決？』

『奈何？』宋徽宗眉頭皺緊，長長呼了一口氣。

吳敏揣知宋徽宗有南幸的意圖之後，對朝中大臣道：『朝廷如果要放棄京師，這個計策太差了，果真如此，我等雖死也不奉詔。』

這吳敏係有骨氣的讀書人，文章作得極佳。蔡京發現這個年輕英俊的小伙子，只有二十七歲，下筆擲地有聲，愈看愈有趣，有意把女兒許配給他。

不料，吳敏竟然一口回絕了這門親事，不屑於當蔡京的乘龍快婿，眞是好大的膽子。蔡京在詫異之餘，反而更欣賞他的個性，因此，並未加以排擠。所以吳敏才能爬到給事中，權直學士院兼侍講的高位。

吳敏發現宋徽宗膽小如鼠，去意堅決，迫不及待想要逃離京師，遂上了一個劄子（劄子是古代一種公文，用於向皇帝或長官進言議事），向皇上推薦李綱。

吳敏在劄子中稱讚李剛『明雋綱正，忠義許國，自言有奇計長策，願得陛下召見。』

既然李綱有奇計長策，正在一籌莫展的宋徽宗，當然是非見不可了。吳敏爲什麼大力推薦李綱？讓我們先大略介紹一下李綱這一個人。

李綱，字伯紀，邵武人，政和二年進士及第，後來做到監察御史兼權殿中侍御史。由於爲人耿直方正，有話就說，得罪了朝中權貴之士，降官爲比部員外郎。比部是刑部內的一個司，掌管稽核、督察的工作。

宣和元年，京師鬧水災，中國人一向相信『天人感應』之說，既然有了天災，一定是皇帝做了不對的事，所以上天才要懲罰。

於是，李綱借題發揮，上了一個奏章，表示陰氣太重，朝廷應以盜賊外患爲憂。

宋徽宗與歷史上所有昏君一般，只愛聽歌功頌德之言。白時中因為上言『祥瑞之多，前所未有』，馬屁一拍，扶搖直上，當上了宰相。李綱忠言逆耳，宋徽宗龍顏大怒，一氣之下，貶謫南監州沙縣稅務。

吳敏與李綱兩人不善逢迎，都是真正愛國之士。有一回，李綱在吳敏家，談到金人入寇，國事日非，李綱慷慨激昂地說：『皇上宜傳位如天寶故事，否則不足以招徠天下豪傑，何況東宮太子恭儉之德聞於天下。』

所謂天寶故事，指的是安史之亂以後，唐玄宗倉皇逃往四川成都，太子肅宗在靈武即位的事。

吳敏的看法與李綱一樣，認為宋徽宗如果要逃離京師，應該要讓位給太子，才能號召天下人心。所以他要把李綱推薦給宋徽宗。

宋徽宗接見了李綱，李綱先提出抵抗金人的五種對策，然後，李綱極有勇氣，單刀直入對宋徽宗說：『皇上的意思，顯然是要以太子爲留守。依臣之見，敵勢猖獗，非正正式式傳位給太子，否則不足以號召天下。』

吳敏在旁，故意問一句：『讓太子爲監國不可以嗎？』

『不行，看唐肅宗靈武之事，可知不建號不足以復邦，建號不是唐明皇的主意，而是最後情勢所逼，不能不答應，後世爲此，深深以唐明皇做得不夠漂亮而惋惜。皇上聰明仁恕，如能給皇太子以位號，使太子爲陛下守宗廟，收將士之心，以死捍敵，則天下可得！』

第二天，李綱又刺破手指，寫了一封血書給宋徽宗，重提此事。

宋徽宗怎會捨得放棄皇位，但是又急急於想卸下責任，實在傷腦筋。

最後，還是依從李綱之意，令吳敏爲門下侍郎，令草傳位之詔。

當然，宋徽宗還是不甘心的，當他看到草詔，握著蔡攸的手，自欺欺人的講大話：『想我平日性情剛烈，沒想到金人竟敢如此！』說著，忽然一口氣上不來，撲通一聲，跌倒床下。衆人大驚，趕快扶起皇上，一再進湯藥。

過了半天，宋徽宗稍微甦醒，勉強舉起手臂，用他那著名的瘦金體寫道：『皇太子可即皇帝位，予以教主道君退處龍德宮，可呼吳敏來作詔。』於是，吳敏捧來爲宋徽宗代擬的草詔，徽宗在詔書後面批示：『依此，甚慰懷。』意思是就依照所擬的詔書，甚爲安慰，宋徽宗成了教主道君太上皇帝。太子趙恒即位，是爲宋欽宗。

閱讀心得

【第450篇】

太學生陳東上書。

金兵入寇，宋徽宗惶惶不可終日，有意南下避難，而令太子留守。李綱、吳敏對宋徽宗說：『非傳位太子，否則不足以號召人心。』宋徽宗爲了甩脫責任，只好答應當太上皇，把天子大權交出。

太子趙恒即位，是爲宋欽宗，第二年，改年號爲靖康元年。宋徽宗被尊爲教主道君太上皇帝，皇后爲道君太上皇后，改居龍德宮。

當宋徽宗遷往龍德宮的那天，眞是悽慘萬分，宰相率領文武百官送別，個個都哭得窸窸窣窣，宋徽宗本人更是哭得眼睛都睜不開了。他對羣臣道：『內侍都說讓位這個辦法不好，浮議可畏。』

吳敏擔心宋徽宗出爾反爾，橫生枝節，那樣一來，麻煩更大了。他趕快一步向前問道：『是誰亂發的議論，願斬一人，其他人就不敢隨隨便便開口了。』

宋徽宗不肯說出是誰，只是支支吾吾：『好多人一起說的，記不清楚是誰了。』接著，又加了一句：『他們都說，皇帝之上，豈容更有其他尊稱，太子還是當嗣君比較妥當。』

無論如何，宋徽宗總是下了臺，把這個爛攤子丟給了欽宗。

宋欽宗一即位，憂國憂民的李綱立即上書陳辭，大意是：『如今中國

勢弱，君子道消，法度紀綱，蕩然無存。陛下當上應天心，下順民意，使中國之勢尊，誅鋤內奸，使君子之道長，以符道君皇帝（即徽宗）付託之意。』

宋欽宗少年天子，多少有點朝氣。當他在東宮爲太子之時，就每每不滿佞臣專恣橫暴，因此，他看到李綱的上書以後，馬上在延和殿接見他，並且對李綱說：『朕以前在東宮，見卿論水災疏，寫得眞好，朕今天還能全文背誦。』

想李綱當年因爲京師大水，上了一篇奏章，因此丟官，被宋徽宗謫爲南監州沙縣稅務，內心不免鬱抑。現在聽到欽宗這番賞識的話，大爲興奮，精神益發抖擻，更大生報効國家、盡忠皇上的豪情壯志。

於是，李綱接著上奏：『祖宗疆土，當以死守，不可以尺寸與人。』宋欽宗也很嘉勉李綱的忠心耿耿，任命李綱擔任兵部侍郎。

文武百官見欽宗嘉納李綱，一些個正直言官，也開始紛紛攻擊當時執政大臣，揭發他們腐敗昏庸，貪汙瀆職的醜事。連尚在太學就讀的太學生，也深深有感於國家興亡，匹夫有責，上書痛陳國事。

於是，太學生以陳東爲首，伏闕上書。（闕，宮門之意。伏闕上書就是跪在皇宮門口，向皇帝進呈意見書。）

陳東這位太學生是鎮江丹陽人，極有才華，雖然家裏貧苦，卻與顏回一般，人窮志不窮。當蔡京、王黼一批小人當道之時，陳東早就看不過去，經常放言批評。中國人一向明哲保身，尤其是在古代帝王封建時代，因此儘管有內心贊成陳東評論的，表面上卻敬鬼神而遠之，不敢與他多接近，免得上了黑名單，為自己惹禍上身。

有時在宴飲之中，陳東又忍不住放言高論，大罵蔡京等小人無恥，禍國殃民，他愈說愈激動，聲音也不斷提高。在座的客人不敢答腔，低著頭猛吃。可是愈吃愈慌，萬一有什麼人把陳東的話記錄下來，去打小報告，那麼，假如被誤會為陳東一夥的，那可是掉到黃河裏也洗不清。

如此想來，胃口倒盡，於是有人放下碗筷，默默離開。一個走了，另一個也跟著走。到了最後，只剩下陳東一人，面對滿桌山珍海味，有一種既孤獨又寂寞的蒼涼之感爬上心頭。

久而久之，陳東被列為最不受歡迎的人物。只要有陳東在，大家都不願赴宴，也沒有那一個主人有興趣再把他列入請客名單之中。

當陳東入太學之後，情勢爲之改觀，他開始有了志同道合的好朋友。

宋仁宗慶曆年間，范仲淹力倡興學，仁宗許可，就在慶曆四年，建立太學，聘請當時著名教授主講。後來范仲淹罷相，連帶他所倡導的興學主張也遭致攻擊。王安石變法之時，大力提倡學校教育，太學又開始蓬勃發展。

太學生的入學資格是須由州學的上舍生中，挑選優秀的學生入學。如果發現選送來的太學生成績不佳得勒令退學，連帶推舉這位學生的學官都要受處罰。在這樣的情形之下，太學乃集天下英才中的英才。

宋代由於受理學的影響，太學生特別重視操行與品德，規定一律住校。

宿舍稱之爲齋，學生分齋而居，門禁森嚴，無故不許出校，政府免費供給伙食。

陳東在太學中，結交到不少品學兼優，而且與他一般愛國若狂，具有歷史責任感的青年學子。他們常聚在一塊討論國是，通宵不眠。說到金人入侵，政府無力，往往熱血沸騰，淚如雨下。

宣和十二年冬天，太學生看到欽宗即位，李綱被重用，朝廷似乎有一番新的氣象。在陳東爲首之下，伏闕上書說：『今日之事，蔡京壞亂於前，梁師成陰賊於內，李彥結怨於西北，朱勔聚怨於東南，王黼、童貫又從而構釁於二虜，創開邊隙，使天下勢危如絲髮。此六賊者，異名同罪，願陛下肆諸市朝，傳首四方，以謝天下。』

乖乖，這個上書夠厲害，把蔡京等人挨個兒指名罵，而且要求把他們的腦袋割下來示眾，朝廷對此事有何反應？

閱讀心得

【第451篇】

李綱挺身而出。

宋徽宗面臨金人入侵，一籌莫展，最後只有宣佈退位，傳位給太子宋欽宗，欽宗任命李綱爲兵部侍郎。少年天子，畢竟有些朝氣，熱情的太學生也以陳東爲首，跪在皇宮門前，向皇帝進呈意見書……。

太學生們以爲『今日之事，蔡京壞亂於前，梁師成陰賊於內，李彥結怨於西北，朱勔聚怨於東南，王黼、童貫又從而構釁於二虜，創開邊隙，使天下勢危如絲髮。』因此憤慨地主張將此六賊斬首示衆，以謝天下。

除了在西北用兵的李彥之外，其他五個奸臣是如何狼狽爲奸，弄權取勢，顛倒是非，我們在前面曾經一再詳細描述過，《水滸傳》之中形容的『官逼民反，逼上梁山』也是指的這批混球。因此，陳東的上書，轟動一時，人人傳誦，個個都說『痛快，過癮，罵得好，罵得對！』

這是宣和十二年冬天發生的事，第二年是靖康元年，在正月裏，宋欽宗又下詔徵求直言。於是，埋藏在人們心中的火山爆發了，中外羣起而攻擊諸奸。人人皆曰諸奸可殺。

為了振奮人心，宋欽宗採取了下列措施：

——小白臉王黼聞金兵已渡河，他首先把妻子兒女，以及細軟金珠，捆載南逃。欽宗下詔貶王黼爲崇信軍節度副使，流放到永州，然後，派遣

武士跟蹤到雍丘地方，將王黼殺死，又賜李彥死。

——放朱勔歸田里，朱勔主持花石綱，前後二十多年，財產億萬。他在蘇州的府邸園囿比皇宮還豪華壯觀，東南刺史郡守多半出自其門下，當時人稱之爲『東南小朝廷』，朱勔的故事前面已說過。朱勔回故里不久，再流放到循州，最後，在循州被殺。

——貶梁師成，賜死於途中。

——貶童貫爲左衛上將軍，安置於柳州，再流放到吉陽軍，最後加以誅殺。

——至於惡貫滿盈，禍國殃民，天字第一號大奸臣蔡京，先是被貶爲秘書監，再流放到海南島，在半途之中死於潭州（湖南省長沙市）。

蔡京雖然被貶而死，卻不是斬首示衆，天下人都爲此憤恨難消。他的兒子蔡攸、蔡翛，以及趙良嗣也先後被殺。

總而言之，宋欽宗即位半年以來，把宋徽宗身邊左右的倖臣幾乎殺個精光。將吳姐姐講歷史故事一路讀下來的讀者，看到這裏，一定會拍手叫好，一吐胸中烏氣的暢快。『善有善報，惡有惡報，不是不報，時候未到。』可惜，雖然政令一新，人心大快，但是國家的積弊太深，終於難以挽救。

宋欽宗下令誅殺的五個奸臣，都是宋徽宗最寵愛、最信任、最喜歡的『忠臣』，他怎會眼睜睜看著兒子『胡作非爲』？原來，已當了太上皇的宋徽宗聽說金兵渡河，留著欽宗與羣臣防守，自己倉皇逃往鎮江，所以宋欽宗才能放手一幹，從從容容誅除羣奸。

話說，靖康元年正月，當金兵迫近黎陽，黃河兩岸的守軍竟然全無抵抗，望風而潰。金兵乘著小船，如遊山玩水一般不慌不忙，從從容容渡河。連金人自己都不敢相信，竟然會如此順利，也忍不住互相嘲笑道：『南朝怎麼一個人也沒有！』

如今是大敵當前，雖然已下詔勤王（勤王的意思是，以兵力救援王室），徵集天下兵馬，援救朝廷。但是，朝中執政大臣如浪子宰相李邦彥、白時中等人，無不膽小如鼠、畏敵如虎，他們都主張早日避難，只有李綱等人堅持抗敵。

有一天，李綱正在延和殿當班；剛好，聽說宰相們奏事，正在商議遷都避難之事。李綱十分著急，趕著去見東上閤門事朱孝莊說：『我有急切公事，要與宰相辯論。』

『不行，』朱孝莊回答：『根據舊例，從來沒有宰相未退，而從官求見的。』

『現在是什麼時候了，還管什麼舊例？』李綱不自覺聲音提高，朱孝莊知道攔他不住，也就代爲通報。

李綱入殿之後，迫不及待上奏欽宗：『道路傳言，宰相欲奉陛下遷都避難，果然如此，則宗社危矣。且道君皇帝以宗社之位，傳予陛下，陛下豈可一走了之。』

宋欽宗自知理虧，沉默不語。

白時中瞄了李綱一眼，輕蔑地說：『都城能守得住嗎？』

『天下城池，還有比都城更堅固的嗎？而且宗廟、社稷、百官、萬民全在京師，離開這兒又要到那裏去？陛下若能激勵將士，慰安民心，豈有不可守之理。今日之計，莫如整厲士馬，聲言而戰，團結民心，以待勤王之師。』李綱在廷上侃侃而論，聲若洪鐘。

『那麼，』宋欽宗遲疑問道：『誰可爲將？』

李綱早有準備，應聲答道：『朝廷平日以高爵厚祿富養大臣，爲的是什麼，不就是用於有用之時。今日白時中、李邦彥等，雖然是一介書生，未必知兵事；然而藉重其高位，撫馭將士，以抗敵鋒，這也是他們的責任！』

此話一出，李邦彥、白時中你看我，我看你，嚇得臉色發白，身體也微微地顫抖著。白時中氣壞了，決定以其人之道，還治其人之身。他不懷好意地高聲問道：『李綱不知能否出戰？』他倒要看看，李綱如何接這一招。

豈料，不怕死的李綱朗聲回答：『陛下若不以臣爲懦弱，臣願意以死報國。』

閱讀心得

【第452篇】

宋欽宗舉棋不定。

金兵南下，朝中宰相李邦彥、白時中等都主張早日遷都避難，只有李綱堅持抵抗。宋欽宗問『誰可爲將』，衆人面面相覷，默默不語。李綱挺身而出，慷慨回答：『願以死報國！』……

宋欽宗遂以李綱爲尚書右丞、東京留守，兼親征行營使，即日宣佈京師戒嚴。雖然如此，欽宗内心舉棋不定，還是想要早日開溜。

李綱一再説服宋欽宗：『以前，唐明皇聽説潼關失守，立刻逃到四川，宗社朝廷，碎於賊手，過了許多年才恢復。後人論此，都以爲唐明皇應該堅守京師，以待勤王之師。今日，陛下初即大位，中外欣戴，四方之兵，不日雲集，敵人必然不能久留。假如陛下捨此而去，雖然臣等留守，何補於事，宗廟朝廷，將成廢墟，願陛下三思。』

宋欽宗心中怕怕，不知該如何才好，這個時候，內侍王孝竭又在旁催促道：『中宮、國公已行，陛下豈可單獨留在此處？』中宮原是古代皇后住處，後來常用爲皇后的代稱。國公是爵名，代表有封爵的皇親國戚。

內侍如此一催，宋欽宗心裏更慌亂，他臉色如土，頹然跌落在榻上，對李綱說：『卿等不要再固執了，朕將前往陝西，起兵恢復都城，絕不可

以留在此地。』也就是說，宋欽宗準備放棄京城。

李綱『撲通』一聲跪倒在地，先是低低哽咽，繼而放聲痛哭，苦苦哀求，不惜以死請求欽宗千萬別走。

這時，燕王、越王來了，他們分析情勢，也認爲不可以一走了之。宋欽宗沒可奈何，拿起毛筆，寫了『可回』兩個字，蓋了御印，命令宦官把中宮、國公追回來。然後，轉過頭來，對李綱說：『朕今日是爲卿留下來的，治兵禦寇的事，都委託卿了。』

李綱叩了幾個響頭，退出皇宮。當天夜晚，宋欽宗一個人左思右想，愈想愈害怕，汗毛直立。他又把宦官找來，吩咐下去，明日一早即行。

第二天一大早，李綱入朝，只見禁衛擐甲，乘輿服飾，都已準備妥當，即將升車。李綱火大了，厲聲問禁衛：『你們是願意死守宗社呢？還是願意跟從皇上巡幸！』

禁衛們的家小都留在京師，又不願意獨自逃難，所以皆高呼：『願以死守！』

李綱聽了這話，比較有了把握。又趕緊入宮，面奏皇上：『陛下已答應臣留下來，爲何又要離開？』李綱思前想後，一夜未眠。他知道宋欽宗膽子小，也沒有與國家共存亡的壯志，絕對聽不進什麼大道理，只有分析利害，嚇他一嚇。

李綱換了一種說法勸欽宗：『六軍的父母妻子，都留在京師，豈肯捨去？萬一走到一半，中途撤回，誰能保護皇上？而且，敵人已經迫近。他們聽說皇上乘輿離開京師不遠，用健馬疾追，在路上交鋒，豈不比留在京師更危險？』

宋欽宗轉念一想，對啊，若是半途被劫，情況更不堪設想。兩者比較之下，還是躲在皇宮裏安全一些，終於決定不再開溜。

李綱見此，馬上傳知左右：『主上心意已定，敢復有言去者斬！』禁衛軍接到聖旨，一塊兒跪在地上喊萬歲。

不久，金人果然大舉進攻京師的宣澤門，數十艘火船一路開來，從來沒有打過仗的李綱親自督戰。他率領了二千名敢死隊，埋伏在拐子城下，金人火船開來，敢死隊便以長鈎，投下巨石，還砸碎了不少火船，斬金人酋長十餘人，殺其衆數千人。

另外，李綱更發動了保甲、居民、廂軍，修建樓櫓、安置礮座，搬運甎石、施放火炬、準備火油。並且團結馬步軍四萬人分爲前後左右軍，中軍八千人，有統制、統領、將領、將隊等，日夜演習。更在延豐倉中，貯存了四十餘萬石豆粟，準備給勤王之師食用。

金人知道宋朝是有準備的，又聽說宋徽宗已傳位給欽宗，金將斡離不衡量情勢，覺得金朝大軍，孤軍深入，終必失敗，還不如提出和談條件，可以不戰而取得便宜。當然，金人願意和談，也是由於金兵幾度迫城，勇敢的李綱擊退了金人。

金朝方面，派遣吳孝民前來，吳孝民騎著馬，舉起鞭子，遙遙地與古城牆上的宋朝駕部員外郎鄭望之互相作揖，雙方約定在城西相見。

當天晚上，鄭望之自城上沿繩而下，到了金人帳篷中，兩人談了一整晚，吳孝民要求兩國以黃河爲界，宋朝再拿出犒軍金帛，鄭望之不能答應，沒有結論。第二天，鄭望之入奏宋欽宗，並且引見金使吳孝民。吳孝民表示，希望宋朝方面能夠派遣親王、宰相到軍前議和。

宋朝爲防宰相攬權，宰相不止一人，但宋欽宗看看身邊左右的宰相，竟沒有一人願意擔任這種吃力不討好的危險任務，李綱再度挺身而出，請求前往。眼中流露出強烈爲國犧牲的意願。

宋欽宗看了一眼李綱，好像沒聽到他說話一樣。命令李梲擔任談判使者，鄭望之等爲副使。李綱悻悻然，心中難過極了，他是多麼想要擔任這次任務啊。他這種爲國爲民，不敢愛身的使命感，正是中國傳統知識份子偉大的歷史責任感。

閱讀心得

【第453篇】

种師道救援京師。

欽宗雖然指派李綱爲留守統帥，並且下詔親征，其實心中畏懼，猶疑不定。幾次想要開溜，都被李綱苦苦留住。金兵攻到汴京城下，數度迫城，幸虧李綱力戰擊退。可是城中人心惶惶，金人要求派遣宰相、親王到軍前議和，李綱自請前往，宋欽宗不許……。

宰相們退朝以後，李綱一個人留下來，忍不住請問欽宗，爲何不肯派他爲談判代表？

宋欽宗搖搖頭道：『卿性情剛烈，不可以前往。』欽宗的考慮，當然也有道理。李綱自己又何嘗不知自己太過剛硬，奈何時勢所逼啊。

李綱委婉啓奏皇上：『敵人氣勢尖銳，我朝大兵未集，自然不可以不和。若是朝廷措置合宜，中國之勢遂安；若朝廷震懼，一切依金朝，他們以爲中國無人，更加覬覦，後果不堪設想。』

說到這兒，李綱想起李棁那種平日小心謹慎，生怕得罪人的緊張樣子，忍不住又加了一句：『李棁柔懦，恐怕再誤了國家大事喔。』

李綱所擔心的，果然一點也不錯。李棁到了金營，一句話也不敢多言。金朝使者昂頭道：『都城破在頃刻旦夕之間，所以停兵不動，爲的是趙氏宗社也。』

這話說得動聽，金人那有如此好心腸。若非李綱力守，汴京城還不早破了。

接著，金人提出許多條件，李棁既不敢拒絕，又無法答應。情急之下，只有文不對題的說：『這是皇帝賜的黃金萬兩及美酒佳果。』

李棁把金朝開出來的條件帶回宋朝，還眞不少：

(1)宋朝一次送給金人黃金三百萬兩，白銀五千萬兩，牛馬萬頭，衣緞百萬匹。

(2)宋主尊金主爲伯父。

(3)宋朝割讓中山（河北定縣）、太原、河間（河北河間）三鎭之地。

(4)以親王、宰相爲人質。

李綱一見條款，堅決反對，他義正辭嚴道：『犒師金帛，數目太大，雖竭天下之財，尚且不足，何況現在只有京師一地，那裏湊得出錢。』至於河北三鎮，是國家屏藩，更不可輕易割讓。

浪子宰相李邦彥，可想而知，一定是主和的，他訕笑李綱迂腐：『國且不保，何必捨不得河北三鎮，眞是！』

在雙方爭論不休之時，宋欽宗表面上依從李綱，做皇帝的，總不好意思馬上贊成喪權辱國的條約，私底下，卻完全依李邦彥的，儘量搜括城中金銀以籌備賠款。一面派遣康王趙構（欽宗之弟、徽宗第九子）與少宰張邦昌去金營求和。

這時，四方勤王之師漸漸來到京師，种師道、姚平仲等率軍二十萬到達京師。此二人都是河北驍將，尤其是种師道可是大大有名，能征善戰，極有風骨。在童貫作威作福，手掌軍權的日子裏，一般將領見到童貫，莫不趕快趴地請安，种師道只是長揖而已，連童貫也得敬他三分。

此時种師道春秋已高，年紀大了，天下稱之爲『老种』。欽宗聽說老种前來，大爲開心，命李綱把老种請入安上門，問老种道：『今日之事，卿意如何？』

『女眞不知兵，豈有孤軍深入之理？』

一聽老种這話，欽宗又有意思開戰了。

由於姚氏种氏均爲山西望族，兩家子弟不相上下。姚平仲的父親姚古也是響叮噹的名將，姚平仲惟恐功勞被老种搶光了，自告奮勇要夜晚摸斡離不的軍營。誰知，金人早有準備，姚平仲撲了個空，反爲所敗。

老种是老經驗，他對李邦彥說：『劫寨已失誤，沒關係，兵家有出其不意致勝者，今晚再遣兵偷襲。若不勝，以後每晚以數千人擾之，不出十天，敵人必然遠逃。』

李邦彥向來是主和的，他根本不贊成與金兵開戰。現在姚平仲偷襲失敗，正如同他意料之中。他爲了平息金人的怒火，立刻遣使向金朝謝罪，並且再三表示：『此乃李綱、姚平仲之謀，擅作主張，實在並非朝廷的意思，希望金國不要怪罪。』

宋欽宗本以爲姚平仲胸有成竹，應該可以高奏凱旋歌，誰知兵敗如山倒。立刻下詔，不得再進兵，同時採納李邦彥的意見，下旨將李綱免職，用以緩和敵人。

誰知，朝廷這種懦弱怕事，有損國格的窩囊行動，卻惹怒了全國愛國軍民同胞，尤其是關心國事的年輕太學生。

在宣和十二年欽宗初即位時，太學生即以陳東爲首，跪在宮門前面上書，要求朝廷將蔡京等人問罪，結果欽宗接受了太學生的請求，陳東等人也著實轟動一時（請參考〈太學生陳東上書〉篇）。

陳東等人見李綱被換下，李邦彥等小人把持朝廷，決定再次上書，爲李綱伸冤。於是，靖康元年二月裏，以陳東爲首的數百名太學生，一起跪在宮門外宣德門下，上書皇帝：『李綱奮不顧身，以身任天下之重，所謂社稷之臣也。李邦彥、白時中、張邦昌之徒，忌嫉賢能，所謂社稷之賊也。

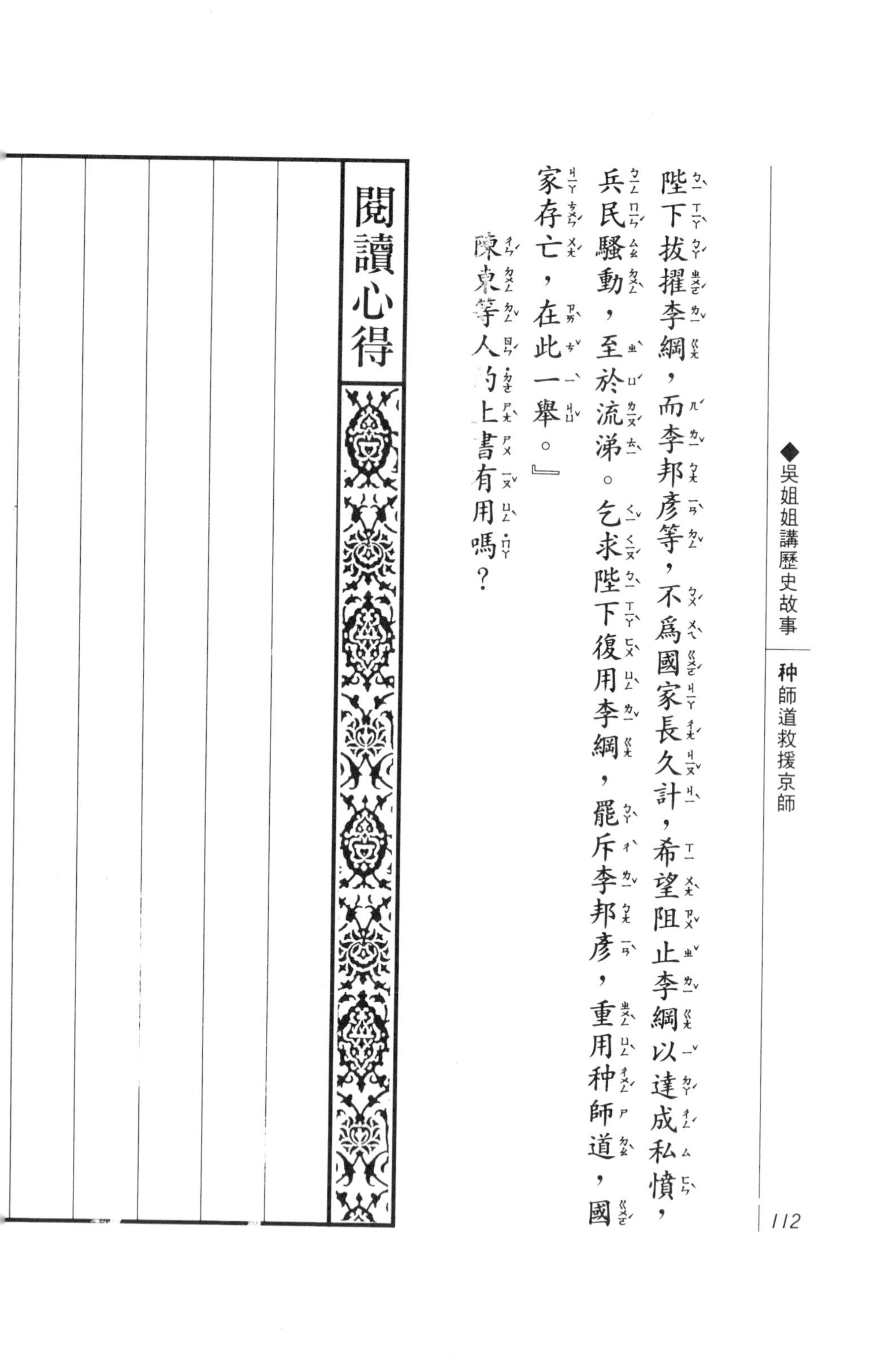

陛下拔擢李綱，而李邦彥等，不爲國家長久計，希望阻止李綱以達成私憤，兵民騷動，至於流涕。乞求陛下復用李綱，罷斥李邦彥，重用种師道，國家存亡，在此一舉。』

陳東等人的上書有用嗎？

閱讀心得

【第454篇】

太學生打破鼓。

在上篇〈种師道救援京師〉之中，我們講到，姚平仲自告奮勇，偷襲金營。結果出師不利，被金人殺得大敗，亡命而逃。金人勃然大怒，責備宋朝背盟失信。浪子宰相被逼急了，派出使者向金人謝罪，並且稱：『此乃李綱、姚平仲之謀，非朝廷意也。』由宋欽宗下旨，將李綱免職，以緩和敵人。不料，此事激起汴京城中人民的怒火，太學生陳東等數百人，跪在皇宮宣德門外，爲李綱上書喊冤……。

陳東等人這一跪，眞可說是驚天地而泣鬼神。宣德門附近，頃刻之間，聚集了數萬軍民，再加上跑來看熱鬧的，放眼望去，竟然是萬頭攢動，水洩不通。

衆人正在叫罵李邦彥禍國殃民之時，李邦彥恰好退朝而出，被一個眼尖的太學生看到，指著李邦彥道：『看啊，這不是李浪子嗎？』滿腔怒火的羣衆，一擁而上，邊跑邊罵。李邦彥素來機警，眼見大勢不妙，跨上快馬，疾馳而去。慌亂之中，丟了一隻鞋子。此時也顧不了這許多，撿回一條小命要緊。

宮中的欽宗，也聽到了宣德門外的大呼小叫，驚天動地。他派了一個宦官出來，告訴民衆，朝廷已准了陳東等人的請求，也就是『復用李綱，

斥退李邦彥，重用种師道。』大夥可以散了。

既然欽宗應允了太學生的請求，也沒有什麼好戲可唱了，眾人紛紛準備離開。

忽然間，有位太學生登高一呼：『不對，不對，誰知道是真，是假，今天不見到李右丞（綱）、种宣撫（師道），我們不能退！』

到底是太學生，多讀了幾天的書，設想比較周密。經他這樣一提醒，已經要離開的羣眾，又不約而同回到宣德門旁邊。

此時，欽宗派出吳敏傳旨：『李綱用兵失利，不得不免去相職，等到金人稍稍退卻，朝廷馬上傳令復職。』

吳敏這一傳旨，立刻引起騷動。由此可見，欽宗方才的應允，根本就是敷衍，缺乏誠意。衆人議論紛紛，都表現出強烈的反感與極度的不滿。

陳東等熱血沸騰的太學生更是一肚子的火，把手上的一面皮鼓『鼕鼕鼕』敲得喧天呼地，鼓聲又密又急。到了最後，竟然把強韌的皮鼓都敲碎了，人心激動到了極點。

開封府尹王時雍是負責掌管京師治安的，他看著實在鬧得不像話了，邁著官步，緩緩走到太學生面前，指著正在怒吼的太學生，板著臉訓斥道：『你們的書讀到那裏去了？可以這樣的威脅天子嗎？還不趕快退下！』

太學生一心爲國，加上有羣衆的支持，心一橫，膽子也大了。他們挺著胸膛，不甘示弱的回王時雍一句話：『我們以忠義威脅天子，至少比以奸佞脅迫天子好吧？』說著，就有那年少氣盛的學生，捲起衣袖，口裏唸著：『看我們收拾這個狗官。』

王時雍一見苗頭不對，決定不與這些老百姓一般見識，匆匆忙忙，抱頭鼠竄。

有位叫王宗濋的官員看在眼裏，惟恐激起民變，趕緊入宮，啓奏欽宗。不如勉強答應太學生的要求，以免釀成更大的事端。

宋欽宗沒有想到一波未平，一波又起，眞是傷透腦筋。於是派遣耿仲南向羣衆宣佈：『已得旨宣李綱矣』，同時內侍朱拱傳旨，李綱即將復職。老百姓根本不再相信，他們非要馬上見到李綱復相不可。十來個倒楣的宦官，被憤怒的民衆逮住，一塊一塊地，割去身上的肉。

宋欽宗在宮中得到消息，急得滿頭大汗，立刻宣召李綱入宮。

李綱惴惴不安地上殿，他一片忠心耿耿，被撤去相職，不免有所委屈。看到太學生陳東等仗義執言，願意與他站在同一陣線，心中固然有層欣慰；可是抗議行動如此猛烈，鬧得京師惶惶不安，驚動天子，也是他所不忍見到的情況。

李綱入殿，流著眼淚哭泣道：『臣惶恐，罪該萬死！』宋欽宗心想，現在要是賜你死了，外頭更不知鬧成什麼樣子。立刻叫人寫旨，復李綱右丞職，並且擔任京城四壁守禦使。

李綱一再跪在地上磕頭，不肯在如此情況之下任新職。宋欽宗聽到宮外，一陣一陣傳來殺喊之聲，嚇得心膽俱裂，此事那能由得李綱？李綱恢復相職消息傳出，羣衆一片狂歡，又叫又跳，眞是打了一場大勝仗。

太學生陳東當初上書除了罷李邦彥，用李綱之外，還有一件，即重用种師道。李綱到底是個書生，對抗金兵總得要有會打仗的將領，於是，大夥又齊集鼓譟，嚷著要求見老种。

正好宋欽宗見京師混亂，已下詔种師道入城彈壓。當种師道的馬車駛入京城，迫不及待的民眾，一步向前，搶著去掀車上的簾子。一掀之下，發現裏面坐著一位神閒氣定，精神抖擻，白鬍飄飄的老將軍，興奮地呼喊『果然是我公也！』眾人遂歡天喜地的散去了！

陳東敲壞的鼓，李邦彥遺失的鞋，都是歷史上有名的小故事。這代表民心向背，輿論永遠支持正義。

閱讀心得

【第455篇】郭京的六甲神兵。

在上篇〈太學生打破鼓〉中，我們說到，太學生以陳東爲首，跪在皇宮門前，爲李綱呼冤，聲動天地，連鼓面都給敲破了。宋欽宗惟恐激起民變，只得下詔，復用李綱爲尚書右丞、京城防禦使，並令种師道嚴加守禦……。

當初，宋欽宗把李綱換下，改用蔡懋之時，蔡懋膽小怕事。爲了擔心金人不悅，竟然下令，若是金人攻城，宋人不許在城上投擲矢石，以免傷害金兵。這算那一門子的打仗方式？將士們無不憤恨在心，暗地裏咒罵。

等到李綱復用，他立刻下令，凡能殺敵者厚賞，眾人無不雀躍，加上太學生在京師如此一鬧事，李綱聲望如日中天。金人也有奸細，親眼目睹太學生上書的壯舉，看來宋朝畢竟『民氣可用』，稍稍有了畏懼之心。既然已得到河北三鎮的詔書，又扣留了宋朝肅王為人質，於是，不等宋人湊足賠款的金幣，僅獲得宋朝搜括都城中的金二十萬兩和銀四十萬兩，便引兵北去。

金人既去，宋欽宗與文武百官都長吁了一口氣，渾身無力，虛軟疲憊。

老將种師道叩見宋欽宗道：『不如我軍趁金人退兵一半，中途攔截。』剛剛才鬆一口氣的欽宗，那裏敢再開戰火，連忙喝斥：『不可！』

种師道長嘆一口氣：『金人此番北去，異日必爲中國之患。』御史中丞呂好問也在旁附和：『金人得志，益發輕視中國，待秋涼馬肥，必將傾國復來，禦敵之備，當速講求。』這番話，宋欽宗根本聽不入耳。

种師道曾對中丞王翰分析道：『我衆敵寡，我只要分兵經營控守要地，使金朝糧道不通，坐以持久，可破金人。』

王翰深深佩服老种的錦囊妙計，但是宋欽宗不以爲然，他認爲种師道是個好戰份子，容易惹禍。便以年紀太老爲理由，解除了种師道的兵權，改派他爲中太一宮使。

王翰爲种師道辯護：『師道名將，沉毅有謀，智力未衰，雖老，仍可用也。』

宋欽宗置之不理。李綱等也曾一再上書，認爲金人不可測，必須嚴防捲土重來。可是欽宗的顧慮是，萬一宋朝儲備國力，怕金國再以此爲藉口入侵，所以不敢武裝。此時，先一步溜到江南的太上皇宋徽宗也回到京城，以爲一切從此太平，安然無事。

當然，宋朝表面不敢聲張，內心仍然捨不得把河北三鎮，拱手讓給金人。於是，暗地裏命令三鎮守將，固守防地，同時用密書聯絡遼國降金的大將余覩，又與在西夏的遼國梁王雅里通書。很不幸的，這一連串來往的蠟丸書，都被金人半途截獲了。

什麼是蠟丸書呢？我國古代，用蠟製成圓形外殼，內放機密文件，以防洩漏又可避免潮濕，也稱之爲蠟彈，是個相當聰明的辦法。

金朝見到蠟丸書，大爲生氣，認爲宋朝太不老實，非要好好教訓不可。金兵二度興兵入寇，仍沿上次路線，由粘罕與斡離不領兵南下。一路勢如破竹，直下黃河，宋欽宗一聽金人又來了，幾乎昏倒。不多時，金兵再度把汴京包圍起來。這一次，金人的胃口可大了，不再是區區河北三鎮可以打發的了。

宋朝君臣嚇得手忙脚亂，一會兒言和，一會兒言戰。若是戰嘛，沒有通盤的作戰計畫，若是和嘛，又沒有謀和的決心，步驟凌亂，處處予敵人可乘之機。當然，最主要的原因是宋朝積弱不振，腐敗無能，與金朝的軍事力量相差過於懸殊。

金朝的大兵自靖康元年十一月三日圍困了京師，晝夜攻打。在這個千鈞一髮之際，宋朝不知抵抗，反而誤信一個名叫郭京的騙子，說是精通法術，有通靈本事，具有六甲之法。

好事之徒紛紛傳言，郭京本事極大，只要用七千七百七十七人就可以生擒金朝兩大元帥，把金兵掃蕩無遺。朝廷大喜過望，深信不疑，尤其是新上任的宰相何㮚，興奮得什麼似的，到處宣傳這個不得了的好消息。何㮚等人把郭京捧得像個神，朝廷賜郭京爲成忠郎，低聲下氣請問郭京，該用什麼方法可以破敵。

郭京也大模大樣的回答：『我要挑選七千七百七十七個士兵，不問他會不會打仗，是什麼出身，但是有一點，必須命合六甲，才能施展六甲之法。』所謂六甲指的是甲子、甲寅、甲辰、甲午、甲申與甲戌年出生的。

不到十天，郭京已召募到了合於六甲的六甲神兵，都是一些市井無賴之徒。此時，金兵的攻勢凌厲，郭京談笑自若，大言不慚道：『只要選好黃道吉日，出兵三百，可致太平。』

何㮚等人深信不疑。有人對何㮚說：『自古以來，未聞以法術成功者，今相信法師太過分，恐怕會成爲國家之羞。』

『去去去，郭京正爲此時刻而生，敵人的事，他無有不知。這些話幸虧你沒有到處胡說，否則誣告郭京，該當何罪？』

訪客只好作揖告罪而出，過了不久，『神兵』出擊，被殺得大敗。郭京一看情況不妙，自請下城作法，乘機逃之夭夭。

我們今天看宋人迷信郭京，認爲宋人頭腦簡單。今天國人迷風水，信符咒，算紫微斗數，又該怎麼說？

閱讀心得

【第456篇】宋欽宗二度入金營。

靖康元年，金朝的兩路大軍圍困京師，晝夜攻打，在這個千鈞一髮之際，宋朝竟然相信一個名叫郭京的神棍。郭京稱能使六甲之法，活捉金將。結果，『神兵』一出，被金兵殺得橫屍遍野，郭京一看法術失靈，自請下城作法，乘機開溜了。

汴京城破，兵敗如山倒。宋欽宗痛哭流涕，捶胸頓足，懊喪不已。連連怪自己：『唉，朕爲何不用种師道言，以至於此。』种師道老早警告欽宗，秋涼馬肥，金兵必將捲土重來，宋欽宗不予採納，沒有事先防範。

金兵攻陷了汴京，金將粘沒喝與斡離不倒沒有進城。並且宣稱，金朝無意滅亡宋朝，只要宋朝割地賠款，便可以馬上撤兵。但是，金朝開出一個條件：必須要太上皇宋徽宗親自前往金營，當面談判。

這個條件一開，逼得宋欽宗非出馬不可了。他總不好意思要已經退位的老父親去擔心受罪，人情上說不過去，也違反中國傳統皇帝以孝治天下的美德。雖然，宋朝衰弱至此，宋徽宗的昏庸要負最大的責任。

於是，宋欽宗對金朝使者說：『太上皇已驚憂成疾，朕當親自前往。』準備攜同宰相何㮚、陳過庭一塊前去。

何㮚十分害怕，躲躲閃閃，希望能逃過這一關。宋欽宗生氣了，厲聲

喝斥：『你非去不可！』何㮚面色如灰，低頭不語。

太學博士李若水想起何㮚就是保舉郭京的罪人，忍不住無名火起，指著何㮚大罵：『國是到這種地步，不就是你們這批奸臣誤事！』

李若水是個敢做敢當的忠耿之臣，他曾經上書，痛陳朝廷弊端十數條，害得浪子宰相李邦彥頗爲不悅。李若水原名李若冰，當初，宋欽宗召見他，見到『若冰』兩個字，眉頭就扭緊在一塊兒了，他對李若冰說：『若猶弱也，冰猶兵也，兵不可弱，不如改名爲若水。』於是若冰成爲若水。

何㮚哀哀戚戚，哭哭啼啼的出發了。他舉起巍巍顫顫的腿，突然覺得兩腿發軟，不聽使喚。兩旁侍衛左右一挾，半拖半拉，勉勉強強上了馬鞍。剛出朱雀門，手上的馬鞭已摔下了三次，可見他已神志恍惚。

宋欽宗等一行人到達了金營，此時宋朝手上根本沒有討價還價的本錢，還不是金人怎麼說，宋朝只得乖乖地聽。金朝獅子大開口，要求割地之外，還要宋朝送上金一千萬錠，銀兩千兩百萬錠，帛一千萬匹。宋欽宗被金人扣押了兩天，在這漫長的兩天裏，他坐立不安，一身冷汗，對未來命運一無所知。最後，金人竟然答應放他回去了，宋欽宗簡直喜出望外。

正在爲聖上憂心的宋朝臣民，聽到這個消息，也是驚喜如狂。夜晚，宋欽宗的車駕駛入南薰門，京城父老夾道歡呼，匍匐在路旁跪拜。十一月的北方，已是大雪紛飛，民衆爲了表示對欽宗的愛戴，紛紛挑了土來填蓋泥濘的雪地。一會兒工夫，一條筆直乾淨的大道，插在皚皚白雪之中。

當車駕經過，民眾攔住馬首，仰望天顏，感慨萬千，宋欽宗更是嗚咽得不能出聲。不久，宋欽宗的一塊手帕早已濕透，遠遠瞧見太學生們也來迎接。欽宗再次掩面大哭：『宰相誤我父子！』君臣之間引起共鳴，於是，一片淒厲的哭聲，入耳令人心悸。

一直到了宣德門，宋欽宗深深吸了一口氣，方才緩緩地止住了哭聲。面對那些忠心耿耿，冒著風雪在路旁恭迎自己的百姓們，不禁感動萬分。便對百姓說：『各位子民們，朕幾乎再也不能和你們相見了，……』又是哀戚，又是悲憤，想想自己貴爲天子，旦夕之間，淒涼若此，忍不住又眼眶發熱，視線模糊，話也說不下去了。其實，欽宗也不用再說什麼。皇帝被敵人扣留，又被迫向敵人納貢，那份恥辱與悲傷，是在場的每個人都能感受得到的。

車駕終於駛入宮中，鄭建雄、張叔夜等大臣早已守候多時，個個老淚縱橫，噙著淚水，直直跪下。宋欽宗一手按著馬車，俯首回禮，不斷用另一隻手背，悄悄拭去眼角兩粒黃豆大的淚珠。無論如何，總算撿回一命。

可嘆的是，宋欽宗等人高興太早，惡運還在後頭。欽宗派人在京城搜括金銀，東翻西找，把整個京城都幾乎翻了過來，距離金朝的要求的數目卻還遠著哩。而欽宗派人去河東河北等地，交涉割讓土地一事，當地的居民又紛紛抗命，不願意投降金朝。

同時，金朝看準宋朝好欺負。三天兩頭要求寶器、馬車、良駒，又要大內的圖籍、大成殿的樂器、太常寺的禮器、渾天儀、古玩、字畫，甚且內宮的簪環首飾，不分晝夜的往外搬，依然不能滿足金人的胃口。後來，金人又要求一千五百名年輕貌美的女子，許多貞潔的婦女不肯出城，憤而投水。

打從靖康元年十二月到第二年的正月裏，宋朝疲於奔命，從早到晚忙著應付金人的索求。可是，金銀仍然沒法湊足數目，金人不耐煩地再三催促。最後，金人要求，宋欽宗再度前往金營談判。

宋欽宗一聽之下，臉色慘淡，手顫目呆，卻也別無選擇，萬般無奈再度出發。當車駕駛出之時，數萬百姓奔跑過來，跪倒在車旁，再三哀求：『陛下不可去！』在旁的范瓊安慰大家：『皇帝一早去，晚上就回來。』老百姓信不過，緊緊攔住車馬，范瓊狠心地砍去那些拉住車子的百姓的手腕，這才丟下了嚎啕痛哭的民眾。

車過郊外，張叔夜跪在地上，懇求欽宗回宮，欽宗長吁一口氣道：『朕為生靈之故，不得不親自前往。』

閱讀心得

【第457篇】

靖康之難。

在上篇〈宋欽宗二度入金營〉之中，我們說到，金兵攻陷了汴京，宣稱並不要滅亡宋朝，只要宋朝割地賠款，但必須太上皇宋徽宗親自去談判。宋欽宗在這種情況之下，只有被迫含羞忍辱赴金營談判，被金人扣留了兩天。欽宗回宮之時，百姓與太學生夾道歡迎，哭成一團。欽宗掩面道：『宰相誤我父子。』後來，欽宗搜括城中金銀與金人要求相差甚多，河北河東割讓之地的人民又抗命，金人大怒，邀欽宗再度前往……。

欽宗這次前去金營，卻被金兵當成人質，金銀不足，不肯放還。對欽宗的招待也很差，飲食不周，羣臣相顧失色。欽宗也只有低著頭，默默地流著淚。

汴京城裏的宋朝人民，左等右等，還是看不到宋欽宗，心知不祥。愛國如狂的太學生徐揆上書金營，請求金人以惻隱之心，早日放欽宗回宮。

金兵將領看到書信，派人把徐揆帶到營地，要看看這個不知死活的小子是何人。徐揆年少氣盛，與金人展開激烈的辯論，最後，被金人一刀斃死。

到了靖康二年二月，金太宗吳乞買，竟然下詔廢徽宗欽宗為庶人（庶人即平民、百姓），並且強邀太上皇出城。

張叔夜跪在徽宗身前，懇切地說：『皇帝一出不復歸，陛下千萬不可再出。臣當率勵精兵，護駕突圍，也許可以僥倖而出。』

宋徽宗驚慌得沒有主意，不知如何是好，曾經一度意圖仰藥自殺，被范瓊所阻。范瓊受到金人指使，逼迫上皇與皇后乘坐牛車出宮。

不但上皇要去，太后也要去。金將粘罕命令開封府尹，把皇宮的諸王、諸妃、皇子、皇孫、公主、駙馬的名單，詳詳細細開列了一張表，照單全收，一個也不准少。有些躲藏在民家的，開封府下令，誰敢留皇族一人，滿門抄斬。

如此勞師動眾，大規模地搜索了十天，共得趙氏宗室貴族三千多人。金人命令他們彼此把衣袖連在一塊，衣袂相連，哭哭啼啼押到了金營。

宋欽宗、宋徽宗二帝先後被押到金營去談判，其實，此時已無判可談。金將粘罕根本沒把他父子二人當成談判的對象，他倆被剝下了御袍，換上了青衣小帽。忠心耿耿的李若水見此光景，抱帝痛哭，大罵金人是狗不是人，氣得青筋暴露，牙齒咬得格格有聲。

金人把李若水拖了出來，狠狠毒打了一頓，李若水昏倒在地。粘罕希望李若水投降，派出十多個人照顧他，並且命令道：『必使李侍郎無恙。』可是，李若水悠悠醒過來之後，開始絕食，無論怎樣勸說，就是不動碗筷。有人對他說：『公今日順從，明日富貴都有了。』

李若水仰天長嘆：『天無二日，若水豈能有二主。』若水的僕人也勸他：『你父母年歲大了，你早些屈服，還可回家探望二老。』

『呸！』李若水噴出一口口水，落在僕人的臉上，他堅決地表示：『你們不必再多費口舌，反正，我是不會投降的。』

金人查點宋朝的王公貴族，忽然發現少了皇后與太子，這還了得嗎？原來，宋欽宗二度入金營之前，他心中有數，此番前去，凶多吉少。因此，臨行之前，特別交代樞密使孫傅，偷偷把太子與皇后藏匿在民間。

孫傅尋找了一個長得與太子相像的，以及兩個宦官，一併殺了，把首級交給金人，謊稱：『有兩個宦官想要偷帶太子出宮，不幸被亂民爭鬥殺傷，誤中太子。』金人當然不肯相信，又有急於諂媚金人的宋朝大臣范瓊、莫儔等，千方百計，展開地毯式的拘捕行動，終於把皇后、太子都找到了。

查出太子、皇后下落之後，一連過了五天，沒有人出面承認做了這件事。金人似乎也無意去探究此事，孫傅倒是不打自招，自己出面了。

他正色地說：『我是太子師傅，當同生死。金人雖然不逮捕我，我也要與太子一塊去，當面見一見金朝將領，或許還能挽回大局。』自然，孫傅心知肚明，到了金營，那還有生還的希望。

孫傅主意打定之後，直奔皇城司，孫傅的兒子急急忙忙跑去探望。

孫傅一見到兒子，臉一板就訓他：『告訴你，叫你不要來，你爲什麼又來了，我已經決定的事，你們再來說也沒用！』說著，把面別過去，不肯再正眼見兒子。

孫傅的兒子，一面擦眼淚，一面哽咽地說道：『大人以身殉國，兒尚何言？』

當衆衛士將皇后與太子拖拉登車出城，孫傅也跑來了，非要跟著去不可。他說：『我宋之大臣，且爲太子傅，當死從！』太子在車上嚇得放聲大哭，不斷呼叫：『百姓救我！』城裏許多官吏，尾隨在車後，一邊追，一路哭，踉踉蹌蹌，撲倒在地，場面悽涼萬分。

欽宗、徽宗、太子先後被擄，金人一面在城中搜括金銀，一面立張邦昌爲楚帝。這幕人間慘劇，史稱靖康之難。岳飛『滿江紅』中的『靖康恥，猶未雪』，指的就是這段史實。我們詳詳細細，不厭其煩的述說這段經過，講了許多一般不常見的小故事，希望能給讀者一個深刻的印象。國破家亡，何等可悲，我們每個人都該愛國家啊！

閱讀心得

【第458篇】

宋徽宗吃桑椹。

在上一篇〈靖康之難〉之中，我們講到，在靖康二年，金兵猛攻汴京，汴京陷落。金兵把汴京的財物搶劫一空，又把宋徽宗、欽宗與后妃皇族三千人押解而去……。

想當初在靖康元年之時，宋徽宗以爲金兵撤退，警報解除，歡天喜地自江南返回汴京。還在暗自慶幸自己早日退位，把爛攤子丟給了欽宗，以後可以安享太上皇悠哉遊哉飲酒作畫的樂趣。

因此，當徽宗回京師後，住在龍德宮之中，十分逍遙。每次有事情交代欽宗，總是自稱『老拙』，稱欽宗爲『陛下』，表示從此謝絕一切政事，安心地過退隱的生活。

宋徽宗做夢也沒有料到，居然被金人壓迫著來到了金營，而且被視爲囚犯一般看待。

徽宗、欽宗父子二人分別被關在簡陋破爛的小屋裏，沒有床，沒有被褥，只有兩條光禿禿的木板凳。身上威風無比的皇服，也被金人給剝了下來，換穿青衣小帽，看來像個破落戶。

宋徽宗自幼錦衣玉食，養尊處優，從來就是最會享福的皇帝。在萬歲山延福宮度過多少奢華的歲月，幾時遇到這種淒涼的景象。徽宗身旁，一

向僕從雲集，現在不但一個使喚的宦官都沒有，門外還有層層的警衛，一個個殺氣騰騰，看著好叫人害怕。

宋徽宗長嘆一口氣，無可奈何坐在木凳上。不久，金兵派人送食物來，他也正好餓了，可是端來的飯菜，烏漆抹黑，且有惡臭。宋徽宗看了一眼，胃口倒盡，實在無法下嚥。

中國人一向講究美食，何況是生長在帝王之家，更何況是以藝術家自詡的徽宗皇帝，素來對烹飪的藝術頗有研究。不要說是宋徽宗，即使是他手下的蔡京，也是出了名的美食家。曾有一位讀書人，買了蔡京廚房中的廚娘爲妾，迫不及待要妾蒸一籠包子，好享受包子咬破，湯汁外溢，芳香撲鼻的滋味。豈料這廚娘竟然回他一句：『我在蔡太師府裏，只負責剁包子裏的葱花，其他，我全都不會。』（請參考〈蔡京與蔡攸〉篇）由此可推想徽宗御膳房的規模。

面對著粗糲的食物，宋徽宗真的是無法入口。但是不吃會餓死，只好勉勉強強，含著眼淚，哭哭啼啼塞進一些豬食不如的難吃的東西。如今身不由己，只好任人擺佈。一心盼望，和解早日完成，他能夠儘快回到富麗堂皇的宮殿裏，趕快忘掉這陣子所受的窩囊氣。

誰知道，霉運還在後頭哩。過了沒有多久，金人決定把徽欽二帝及親王妃嬪一塊送到更遠的燕京，以免橫生事端。

於是，徽欽二帝不由自主地被架上了平常使用的牛車，滿面哀容的往東北行駛。一共有八百六十輛牛車，載運諸王、妃嬪等人。

當牛車過河，來到濬州城外，許多老百姓聞風而至擠著向前，想要搶回皇帝，都被金人一一阻擋，場面哀戚而悲慘。

過了濬州城，再往下走，就是一片荒野，經常是十天半個月，見不到半片屋瓦。到了夜晚，只有隨隨便便在荊榛茅草之中打地鋪。第二天一大早繼續趕路，那怕是颳大風下大雨，也不准半刻逗留。

到了河北，豪雨氾濫，地上的黃泥都已蓋過腳脛。簡陋的牛車，不堪長途跋涉，一輛一輛都破損報銷了。金人規定，損壞的牛車，一律不准再補。因此到了後來，幾乎多半用徒步而行了。

牛車壞了，牛也受不了如此的折磨，一隻一隻鞠躬盡瘁，倒地死亡。這些可憐的牛隻，就正好做為果腹的食物。

徽欽二帝以前從沒走過幾步路，如今，被當著罪犯押著長途跋涉，簡直是要了老命。鄭太后年歲大了，拐著脚走不動，金兵拿著棍子在脚後抽。金國押解官對欽宗的朱皇后產生興趣，一路之上百般調戲。欽宗低著頭，一句話也不敢多說。

走著走著，宋徽宗口乾舌燥，渾身無力。忽然看到路邊有一棵桑樹，趕緊摘下桑椹，忙不迭往口中塞，一連吃了好幾枚。他眼中的淚水汩汩而出，轉過身來對曹勛說：

『我在藩邸時，記得有一回，看到乳娘在吃桑椹，我偷偷地吃了幾枚，發現酸酸的、甜甜的、澀澀的，滿好吃的。誰知乳娘一把奪了去，說這是低賤的果實，不是帝王之家子弟該吃的。誰知今天再食桑椹，竟會落到這步田地，難道說桑椹與我相終始？』說著，徽宗又淚如雨下。

從春天到夏天，徽欽二帝終於到達了燕京，拜見金太宗吳乞買。此時帝后皆蓬頭垢面，滿身蟻虱，三分像人，七分像鬼。金主封宋徽宗爲昏德公，欽宗爲重昏侯。然後，又再度遷往韓州（今遼北昌圖縣）。

帝子王孫與士族，共計九百餘人，給田十五頃，各自舂米爲食，織麻爲衣，生活得與奴隸一般。後來，宋徽宗死在五國城的一間破屋土炕上。宋欽宗更可憐，受盡折磨，求生不得，求死不能，足足度過了三十年的囚犯生涯，才離開人間。

宋徽宗以風流皇帝自許，最羨慕南唐李後主，剛好也與李後主一般，成爲亡國君主，而且下場更慘。

閱讀心得

【第459篇】

張邦昌不敢登御座。

在上篇〈宋徽宗吃桑椹〉之中，我們說到，徽欽二帝，先後被金人擄掠而去。

金兵一面在城中大肆搜括，一面命令百官商議，別立異姓爲帝；也就是說，另外立一個不是姓趙的當中原的皇帝。衆人你看我，我看你，一個個低著頭不敢開口。剛好此時，尚書員外郎宋齊愈自金營歸來，大夥七嘴八舌地問道：『金人的意思到底如何？』

宋齊愈沒吭聲，拿起筆來寫了三個字：『張邦昌』。於是，張邦昌當上了金人擁立的傀儡皇帝，改國號爲楚。

想當初，金人犯京師，朝廷準備割讓河北三鎮，張邦昌被任命爲和談代表。後來，姚平仲偷襲金營，李邦彥等爲了怕得罪金人，趕緊要張邦昌代爲表示『此非朝廷之意』（請參考〈种師道救援京師〉篇）。張邦昌有此功勞，被升爲太宰兼門下侍郎。由於在金人眼中，張邦昌是個乖乖牌，易於被控制，所以，金人屬意張邦昌當皇帝。

消息傳出後，不肯屈節的閤門宣贊舍人吳革，率領親事官數百人，殺了妻小，焚燒住宅，以視死如歸的無畏精神，起兵抗命。可惜在咸豐門附近，一舉被金兵殲滅。

另外一方面，在人心惶惶之際，也有奸臣范瓊等人，大聲疾呼：『自家們，大家莫驚慌，如今只是少了一個主人，東也是吃飯，西也是吃飯。譬如營裏長行健兒，姓張的來管著是張司空，姓李的來管著是李司空，換來換去都差不多。』這些媚事金人，厚顏無恥之輩，他們都以楚國的佐命大臣自居，尤其是王時雍最爲無恥，人們稱爲是『賣國牙郎』。

張邦昌本人，當然不是個忠節之士，但要說他一心一意出賣國家，爲虎作倀倒也未必。當金人起初脅迫張邦昌做皇帝時，他也曾想自殺。金人威脅道：『假如你不肯，我們即將屠城，把百姓殺個精光。』所以這方面來說，張邦昌也是爲保全百姓，勉強答應。

靖康二年三月，金人冊立張邦昌爲大楚皇帝。張邦昌哭哭啼啼上了馬，到了西府門，假裝頭昏倒下來了。過了一會兒，甦醒過來，又痛哭一場。步行到宣德門外，換上了御衣，望著金國拜舞，跪下來接受金人冊封爲兒皇帝，冊書上寫著：『咨爾張邦昌，宜即皇帝位，國號大楚，都金陵。』

張邦昌即位的這天，一陣陣的怪風猛烈襲來，天空陰沉沉的，見不到一絲陽光。文武百官都哭喪著臉，一副大禍臨頭的悲慘模樣。張邦昌整張臉白得像死人一般，只有王時雍、范瓊等笑口常開，快樂極了。他們往來奔走於金營與京師之間，馬不停蹄，傳達金人意旨。這批狗腿子，京師人稱爲『捷疾鬼』。

行過大禮之後，張邦昌自宣德門步入，由大慶殿走到文德殿前。他在御床（皇帝寶座）的旁邊，另外放置一張椅子，他坐在這椅子上，接受百官祝賀，表示並非他想登御座。

接著，張邦昌站了起來，傳令道：『本爲生靈，非敢竊位。』意思是說，他本來是爲了挽救百姓，免被金兵屠殺，原本並沒有意思要篡位當皇帝。因而傳令下去，百官免跪拜之禮。

爲了表明心跡，張邦昌接見百官，自稱爲『予』而不是『朕』，不敢稱手詔，改稱爲手書。所有任命的官吏的職銜前面，都加上一個『權』字，表示是臨時代理之意，甚且不改元，仍沿稱靖康二年。

只有王時雍一人，每次入朝奏事，總是自稱爲『臣啓陛下』，又屢次慫恿張邦昌，應該正正式式坐在垂拱殿，接見來使。王時雍總認爲，雖然是個傀儡兒皇帝，演戲也該演得逼眞一些，既是新皇登基，理應大赦天下，普天同慶。呂好問忍不住沒好氣的頂了他一句：『這四壁之外，開封城外頭，你都管不著，還赦什麼天下？』說得王時雍的耳根子都紅了一片。結果，只好把城中的犯人給放了，略微表示大赦的意思。

金人冊立張邦昌爲楚帝，這是因爲中國幅員廣大，金兵人數少，不夠分配在中國國土之中。所以，採用以華制華的辦法，找一個乖乖牌來代爲掌理。現在，既然張邦昌已正式登基，他們便準備離開了。

於是，金兵在粘罕與斡離不的帶領之下，搜括乾淨汴京太清樓、秘閣三館的書籍，天下府、州、郡、縣的圖表，大樂教坊的樂器、祭品、冠服、禮器，甚且民間的金、銀、衣、緞，內府的技藝工匠、倡優內侍，一股腦兒全部打包帶走。一路高奏凱旋歌，興高采烈回燕京去了。

張邦昌率領著文武官員，服赭（赤紅色）袍，張紅蓋，沿途擺設香案，恭恭敬敬爲金人餞行。

這時，留在張邦昌朝中的宋朝官吏，大約可分爲兩派。一派如王時雍、范瓊等甘心當金人爪牙者，一派如呂好問、馬伸等，表面上委曲求全，內心卻仍然忠於宋朝。

當金兵撤離之前，原本計畫派兵監視張邦昌，呂好問故意好心好意對金人說：『南北風俗習慣不同，水土不服，必不相安。』

金人想了一想說：『如此說來，留一個貝勒統制可也。』

呂好問搖搖頭說：『貝勒爺是貴人，如果觸發生病，那麼，罪過可就大了。』

金人頗以爲然，於是，把大兵全數撤去。

金人走了以後，張邦昌驟失所依，忽然害怕起來，不知如何是好。只有請教呂好問，呂好問會給張邦昌什麼建議？

閱讀心得

【第460篇】宗澤拒交牛黃。

靖康二年四月，金人擄走徽宗、欽宗二帝後北去，留下了傀儡楚帝張邦昌……。

張邦昌小心翼翼把金人送走以後，見汴京中滿目瘡痍，內心惶惶無主，他不知如何是好。於是，請教呂好問。

呂好問沒有馬上回答，反而回問張邦昌一句：『相公是爲了敷衍金人呢？還是打算眞的當皇帝？』

張邦昌狐疑地望著呂好問：『這話是什麼意思？』

『相公當知中國人心的向背，以前，人們是畏懼女眞（金人）的兵威，今女眞已去，相公如果再戀棧皇位，必然成爲衆矢之的。如今，大元帥（指康王）在外，元祐皇后在內，此乃天意。爲今之計，當迎奉元祐皇后，請康王早正大位，方能轉禍爲福。』

張邦昌倒也知趣，便依從了呂好問的主張。

想當初金人擄掠二帝北去之時，不是一網打盡王公貴族，彼此用衣袖互相捆綁而走嗎？怎麼冒出了大元帥與元祐皇后呢？

這個元祐皇后乃宋哲宗的皇后，徽宗皇帝的嫂子，稱爲孟后。孟后早年因故被哲宗廢爲庶人（平民）。宋徽宗即位以後，下詔復廢后孟氏爲元祐

皇后，搬回宮中居住；後來因爲蔡京進讒言，再廢元祐皇后爲庶人。這是徽宗崇寧元年的事，到了靖康二年，孟后被廢居於民間已經長達二十九年了，既沒人注意她，也很少人知道她過去竟然貴爲皇后。所以，金人搜刮趙氏宗親，她成爲漏網之魚。

至於康王，他是宋徽宗第九個兒子趙構，當金兵第一次南下之時，議割河北三鎮。康王被任命爲割地特使，偕同資政殿學士，割地副使王雲離開汴京，前往河北。

到了河北，王雲被民眾團團圍住，指著鼻子罵：『這個人眞是國賊！』當場活活被打死。

磁州守將宗澤對康王說：『今天敵人用詭辭矇騙大王，再去何用？不如留在此處。』

康王心想，此番前去，凶多吉少。恰好此時相州（河南安陽縣）知州汪伯彥，原是康王藩邸中的舊屬，聽說康王大駕光臨河北，立刻迎往相州，欽宗遂任命康王爲天下兵馬大元帥。後來，金兵陷汴京，徽欽二帝被擄，康王趙構就由於不在汴京而成爲漏網之魚。

論起宗澤，也是北宋末年赫赫有名的英雄人物。他本是婺州義烏人，母親劉氏。有天夜晚，夢見天上有大雷電，火照其身，第二天宗澤誕生。凡是古代有名的人物，總有一些離奇的傳說。

宗澤自幼豪爽，少有大志。元祐六年進士及第，在赴皇宮廷對之時，慷慨激昂，痛陳朝廷積弊。主考官對宗澤的正直，感到無比的厭惡，把他降爲最後一名。

後來，宗澤做到館陶尉，他頒下一個規定，凡是捉到逃兵而爲盜賊者，立刻就地正法，沒有二話。如此一來，館陶縣境內，一個強盜也沒有，呂惠卿聽說宗澤的治績，邀請宗澤擔任開御河的任務。宗澤當時正死了長子，哀痛莫名，他把眼淚一擦，立刻就任新職。呂惠卿知道了，感慨地說：『公可謂爲國而忘家也。』

不久，宗澤又被調往衢州擔任龍游縣縣令。衢州地方，民智未開，風俗澆薄，宗澤又辦學校、設師儒、講論經術，當地風氣爲之一變。甚且許多人赴京趕考也榜上有名了。

宗澤擔任地方官吏之時，最有名的一樁事，該算是處理牛黃事件了。

什麼是牛黃？牛黃是一味中藥，又稱之爲丑寶，是發現於反芻類消化道中的結石。特別是牛膽囊中的結石，可以用來治療小兒驚風等病症。

政和初年，宗澤擔任萊州掖縣縣令，戶部下令赴掖縣購買牛黃，用來供應京師中的惠民和濟藥局，作爲合藥之用。由於上頭催促得急如星火，老百姓紛紛宰殺牛隻，提取牛黃。

可是，並非每一隻牛都有牛黃，何況在中國古代農業社會，牛是非常有用的資產，把牛都殺了，靠什麼來耕田？同時，因爲牛黃不敷所需，人民只好多多賄賂官員，免得大禍臨頭。

宗澤對此，大大不以爲然。他牛脾氣一發，上了一個報告：『牛遇到災年，得了病，方才有牛黃。今天，太平已久，和氣充塞，境內牛皆肥壯，無黃可取。』

使者看了十分生氣，又提不出反駁的話。於是，掖縣免去一場災難。

靖康元年，中丞陳過庭等推薦宗澤擔任和議使者，與金人展開談判。宗澤接受任命之後，長長地吁了一口氣道：『此行一去，不獲生還矣。』別人聽了好奇怪，去都還沒去，怎麼就不準備要命？宗澤的解釋是：『敵人若能悔過退師，固然可喜，否則我豈能屈節北庭，有辱君命。』宗澤這種抱定犧牲爲國的烈士情懷，與李綱相去不遠，都不是宋朝朝廷喜歡的人選。所以，宋欽宗擔心宗澤有害和議，改派他前往磁州。

就這樣，宗澤在磁州留下了康王。張邦昌也依了呂好問的主張，迎接元祐皇后孟氏入居延福宮，並遣使勸康王繼任皇位。於是，康王即位於應天府（河南商丘），改靖康二年爲建炎元年，是爲宋高宗。

閱讀心得

【第461篇】

李綱拜相。

金人北去以後，張邦昌依從呂好問的建議，奉迎元祐皇后孟氏，並且，遣使勸康王繼任皇位。於是，康王正式即帝位於應天府，改靖康二年為建炎元年，康王便成為南宋第一位君主宋高宗。

高宗即位之前，他先慟哭流涕，遙拜徽、欽二帝。然後，任命黃潛善為中書侍郎、汪伯彥為樞密院事，只是對如何處理曾任楚帝的張邦昌，感到十分為難。

宰相黃潛善對高宗說：『邦昌雖然罪有應得，但爲金人所迫，今已自動歸來，希望陛下能夠從輕發落。』

高宗是個城府很深的人，他考慮了許久，最後決定：『朕準備封張邦昌爲王爵，將來萬一金人責問起來，邦昌可以告訴金人，天下不忘大宋，因而避位歸宋。』遂以張邦昌爲太保，封爲同安郡王。

在『靖康之難』高宗續統之時，有兩位不凡的志士支撐危局。一個是李綱，一個是上篇提到的宗澤，我們先講李綱的故事。

李綱在北宋欽宗時代，官拜太常少卿，他堅決反對宰相李邦彥、白時中遷都避敵的建議，得到太學生的支持。可是，宋欽宗的軟弱無能，加上奸佞小人的當權，使得李綱抗戰的計畫破滅。

後來，宋朝接受了金朝的條件，割地謀和，李綱被革了職。不久，金人又翻了臉，李綱重新獲得任用，被召爲開封尹。他人還沒有回到京師，汴京已爲金人所破，徽、欽二帝被擄北去，張邦昌被立爲楚帝。李綱就停留在湖南長沙，準備率軍收復失土。

宋高宗初即位，爲了號召天下人心，就打出了形象牌，召拜李綱爲尚書右僕射，兼中書侍郎，也就是當右相的意思。

李綱性情耿直，聞說他拜相，反對的聲浪甚高。中丞顏岐即毫不客氣地上奏：『張邦昌爲金人所喜，雖已封爲三公郡王，應該再加一個同平章事，增重其禮。李綱爲金人所惡，雖然已命爲右相，趁他還沒到，不如罷去。』

宋高宗自有打算，他白了顏岐一眼，冷冷地道：『朕今日即帝位，恐怕也爲金人所不樂意，依你之見，該怎麼辦呢？』

高宗這話說得相當重，顏岐不敢再開口。但是顏岐依然不死心，他派了人悄悄把奏章拿給李綱看，希望李綱火冒三丈，乾脆不來了，以免討人嫌。

另外，右諫議大夫范宗尹也上疏，批評李綱名浮於實，而且聲望太高，有震主之威，不適合爲相。

凡此種種，都沒有動搖高宗用李綱的決心。其中最爲失望的，該算是汪伯彥、黃潛善二人了，此二人自認爲對擁立高宗頗有功績，必然是左右二相。這一下子，半途殺出一個程咬金，而且是正直不阿，素來懶得與人敷衍周旋的李綱，心中之不快可想而知了。

喧嚷了大半天，最後，李綱終於來了，君臣相見，涕泗交流。李綱跪在地上，哽咽地上奏：『金人不講道德，專以詐謀取勝，我國不悟，一切落入詭計之中。幸而天命未改，陛下爲臣民所擁戴，還二聖（指徽、欽二帝），撫萬邦，責任在陛下與宰相。顏岐曾將上疏給臣看，謂臣爲金人所惡，不當爲相。』

李綱堅持不肯爲相，高宗勸了又勸，再三表示：『朕早就知道卿之忠義，今日欲使敵國畏服，四方安寧，非仰賴卿不可，希望卿千萬不要再推辭。』

高宗貌似誠懇，李綱不便再推辭，只好一面磕頭一面答應，並且說：

『以前唐明皇要用姚崇爲相，姚崇提出十件要事，皆中一時之病。今臣也提出十件大事，供陛下參考。』（姚崇所提的十事，請參考〈開元之治〉篇。）

李綱的十事主要的內容有：

『議國是』：中國禦侮之道，能守而後能戰，能戰而後能和，今必須先謀自立，然後才能有所作爲。

『議巡幸』：皇帝的車駕必須早日返回京師以慰人心，如果，京師眞不可居，襄陽次之，建康又次之。

『議僞命』：張邦昌爲國之大臣，臨危不能一死殉國，而挾金人之勢易姓更號，宜正典刑。

『議戰』：軍政廢弛，士氣低落，宜申紀律，以振人心。

這十件大事，宋高宗都答應了。只有一件，李綱主張要嚴辦僞楚皇帝張邦昌，以及所有曾在張邦昌朝做事的僞官，此事比較棘手，因爲一個不小心，得罪了金人怎麼辦。但是李綱認爲張邦昌身爲宰輔，竟然藉敵人卵翼，組織僞朝，非殺不可。

到了後來，李綱愈來愈不能忍耐張邦昌，甚且不堪忍受與他同列朝班。他看到張邦昌，就不由自主拿起手中的笏（古代臣子上朝拿在手上的板子，用以書寫君主的教命）往他頭上敲。

汪伯彥嚇得搖搖頭道：『李綱氣直，臣等所不及。』高宗這才把張邦昌派到潭州。以後，張邦昌也就在潭州伏誅。

李綱以宰相兼御營使，集文武大權於一身。他積極地編練軍隊，訂立軍法，積極想要收復兩河（河北省、山西省等地方），引起了一心苟安投降派的不滿。

閱讀心得

【第462篇】

張所招撫河北。

宋高宗即位以後，爲了振奮人心，召拜李綱爲相，受到奸臣汪伯彥、黃潛善等人的反對。李綱就任宰相以後，他立刻提出十件大事，積極想要有一番作爲。

李綱以宰相兼御營使，集文武大權於一身，編練軍隊，訂立軍法。這個時候兩河地帶（即今河北、山西省地方）雖然早已割讓給金人；但是，金人的力量不足以控制全局，大部分的府州仍然握在宋朝手中；同時，淪陷區的老百姓，紛紛組織游擊隊，號稱忠義民兵，少者萬人，多者達數萬之衆。李綱見到這一點，認爲民心不死，民氣可用，建議由張所出任河北招撫使。

可惜，李綱尚未擔任宰相之前，張所已先得罪了黃潛善。張所爲青州人氏，進士及第，官至監察御史。宋高宗即位以後，張所曾奉命赴兩河視察。回來以後，他上了一個報告給高宗：『河東、河北，天下之根本，朝廷竟將兩河割讓給金人，當地人民恨入骨髓。如果朝廷善爲運用，可以作爲國家的屏障，否則，陛下的大勢危矣。』他並且直言攻擊黃潛善，批評他是奸邪小人，皇帝倘若加以重用，必將危害朝政。

黃潛善那兒容得下張所這般『張狂』，於是，張所的御史被撤換下來，

改任兵部郎中。

後來，李綱被高宗找來之後，他想推薦張所爲河北招撫使，偏偏中間又有黃潛善作梗，實在是相當的爲難。

李綱左思右想了半天，素來剛正不阿的他，爲了國家大局著想，低聲下氣、和氣溫婉地找黃潛善商量：『今日河北無人，只有一個張所可用，張所又因爲亂發狂言而獲罪，不如派張所爲河北招撫使，讓他冒死立功，將功贖罪。』

黃潛善見李綱如此誠懇，不得已，只好表面答應。朝廷正式任命張所爲河北招撫使，賜內府錢百萬緡。張所接到命令，大規模地在京師招兵買馬。同時，鼎鼎大名的岳飛也在這時帶八百子弟兵投奔河北，與岳飛一般慷慨激昂的燕趙子弟，也都熱血沸騰。頃刻之間，應募者竟達十七萬之多，張所人還未到，他已聲振河北。

李綱、張所等人這樣大規模地想恢復兩河，引起了投降派的反感。黃潛善的黨羽，河北轉運副使張益謙就上了一個奏章，指責河北招撫使設置之後，徒然騷擾百姓，使得盜賊多如牛毛。

李綱看到奏章，又好氣又好笑，他據理力爭：『張所現在人還在京師，尚未到河北去，張益謙怎麼就未卜先知，說他騷擾了百姓？』

這番話說得漂漂亮亮、輕輕鬆鬆就把張益謙的奏章反駁過去。問題是，宋高宗表面上把營救宋徽宗、宋欽宗高唱入雲，事實上，他也是靠著這個理由當上皇帝，骨子裏呢？一方面高宗怕金人，一方面萬一真的把二帝救回，他這個撿到便宜的皇帝也得拱手讓人了。所以，河北招撫使也就作罷了。張所先是被貶江州（江西南昌），繼而被貶潭州（湖南長沙），最後被賊人害死。

黃潛善與汪伯彥内外勾結，以排擠李綱爲當務之急，又找不出什麼理由。於是，決定先排擠李綱所推薦的人，河東經置副使傅亮。命令傅亮即日渡河，與金人開戰。傅亮回答，措置未完成之前，大軍不宜輕進。黃潛善便以此爲藉口，誣賴傅亮故意逗留，要他立刻回到京師，接受處罰。

當然，明眼人都看得出來，黃潛善是故意沒事找事，存心爲對付李綱而來的。李綱一片耿耿忠心，落此下場，寒心之至。他曾經不畏強權惡勢，努力的要掙扎出一條道路來。如今，血跡斑斑，大勢已去。他不得已上書給宋高宗，李綱說：『張所、傅亮爲臣所薦用，今黃潛善、汪伯彥之所以阻撓張所、傅亮，其目的就是阻撓臣，希望陛下能夠虛心觀察此二人的目的。』

豈料，宋高宗把奏章擱置一旁，批也不批，理也不理。

李綱不得已被逼著再上一個奏章：『聖上如果必定要處罰傅亮，臣請求退休告老還鄉。』

宋高宗又滿面堆著笑容，勸慰李綱：『卿所爭的不過都是細瑣小事，何必要這樣看不開？』

李綱不免流下了眼淚，無可奈何地說：『願陛下以宗社爲心，以生靈爲意，以二聖（指徽、欽二帝）未還爲念，臣雖然離開陛下左右，不敢一日忘卻陛下。』

然而，即使李綱已準備求去，黃潛善等人還是不肯放過李綱。因爲李綱的形象太好，不能讓他有東山再起的機會。所以，無巧不成書的，御史張浚就在此時，彈劾李綱擅殺宋齊愈（就是力捧張邦昌，告訴百姓，金人喜歡張邦昌的那號人物，請參考〈張邦昌不敢登御座〉篇），並且指責李綱有招兵買馬的罪嫌。

宋高宗即以此爲藉口，罷李綱相職，改任爲觀文殿大學士。可是，張浚依然不肯善罷甘休，繼續不斷地彈劾李綱，就是連這個大學士的空頭官銜，也不肯給李綱。最後，李綱竟然被派去當提舉洞霄宮，管理洞霄宮。

朝廷這一連串不符人心，不合民意的措施，看在百姓心中，眞是失望透頂。李綱的宰相，只當了短短七十七日。

閱讀心得

【第463篇】鄧肅與歐陽澈書生報國。

李綱罷相，他這個宰相一共只當了七十七天。李綱一去，他所策劃的新政一切罷休。無論朝野，一致感到寒心與失望，例如在朝的鄧肅與在野的歐陽澈便可作爲代表性人物。

鄧肅是南劍沙縣人，聰明、機智、能幹，而且漂亮，是個走在路上人人爲之側目的美少年。魏晉南北朝時代，英俊的美男子講究打扮。宋朝注重理學，青年才俊以關心國家大事爲己任，不屑於搽粉修飾。

鄧肅眉目軒昂，口才絕佳。李綱一見到鄧肅，兩人就談得相當投緣，成爲一老一少的忘年之交。後來，鄧肅的父親過世，他異常哀痛，在墓旁守了三年的孝。

接著，鄧肅與陳東一般，入太學讀書。當時的太學生都是品學兼優，志在報國，鄧肅平時相往來的，更爲天下名士。

當時，宋徽宗採辦花石綱，鬧得天怒人怨。鄧肅看不過去，寫了十一首詩諷刺這件事，把苛吏擾民大大批評一番（請參考〈宋徽宗與花石綱〉篇）。由於花石綱是人人痛恨的事，鄧肅的筆下又來得，一會兒工夫，太學之中人人爭相傳閱妙文共賞。主持太學的負責人大爲不悅，於是，太學的老師把鄧肅找去，把十一首詩甩在桌上道：『這些，都是你寫的嗎？』

『沒錯。』鄧肅昂然應道。

『你豈可如此批評朝政？』

『老師莫非贊成花石綱？』

鄧肅這一反問，倒讓老師啞口無言，只好讓鄧肅退下去。

根據當時太學的校規，輕者禁假若干天，罰禁閉，不准外出，或令遷齋（搬宿舍），重則『下自訟齋』（即關入禁閉室命令學生悔過自省），最嚴重的爲『夏楚屏斥』就是體罰開除學籍。

鄧肅雖非操行品德不佳，但是，他公開嘲諷宋徽宗，萬一事情再鬧下去，可要出亂子了。因此，只有快刀斬亂麻，把鄧肅給趕了出去。

宋欽宗即位之後，爲了表示尊重輿情，特別找來鄧肅這一位『鬧事』

的學生領袖。一談之下，更爲他的才華風度所折服。當場補承務郎，授鴻臚寺簿。金人犯京時，鄧肅曾被派往金營交涉，逗留了五十天。後來，張邦昌爲楚帝，鄧肅不屑於在僞朝之中任官，奔赴南京，投向宋高宗，高宗特升他爲左正言。

鄧肅不改其書生本色，他上奏高宗：『以臣在金營之經驗，金人不足以畏懼，但是他們眞正做到信賞必罰，不假文字，故人人樂於効命。朝廷則不然，輕重上下，全憑一時高興。』宋高宗嘉許鄧肅之見，卻沒有確切實施。

不久，鄧肅又向宋高宗上奏說：『外夷之巧在文約書簡，因爲簡約，自然迅速；中國之患，患在文書煩，繁瑣則遲誤。』鄧肅的話眞是一點兒也不錯。但是，直到今天，我們公家機關仍然公文繁雜，缺乏效率。

李綱罷相之後，鄧肅立刻向宋高宗提出他的疑惑：『記得陛下即位第五天，任用李綱爲相之時，曾經回顧羣臣，對大家說，李綱眞是以身徇國的表率，値得向他學習。今日，又指責他是剛愎狂誕，搜括東南的民財、郡鄉的私馬，這些指摘不知有何依據？再說，河東、河北之地，無所適從，李綱招撫河北的措置實施一月以來，民心大爲安定。今綱一去，又當如何？』

宋高宗看到鄧肅條理分明的奏章，先是一凜，又不知如何批示，只好交給吏部處置，最後，鄧肅被免官撤職。

鄧肅因爲直言無隱而丟了官，但是，他一點兒也不後悔，因爲讀書人修身、齊家最後的目的就是爲了治國、平天下。當時，與鄧肅有相同想法的年輕人倒還不少。由此可見，宋朝的理學思想畢竟仍有值得稱道之處，例如布衣歐陽澈便是。所謂布衣，指的是穿著平民的衣服（古代官員有官服，不可隨意混淆），也就是沒有任官的人。

歐陽澈字德明，撫州崇仁人，與鄧肅一般也是個溫文儒雅、氣度不凡的美男子，宋史中形容他是『年少美鬚眉，善談世事，尚氣大言，慷慨不少屈。』而其憂國憂民的胸懷，似乎是出自天性。

靖康初年，他寫了安定邊疆禦敵十策，上書皇帝。州縣尚未呈上朝廷，他又寫了十件保邦御俗以及批評政令的奏章。接著，歐陽澈意猶未盡，再寫了十事。因爲寫得太多了，洋洋灑灑一共有三大巨軸（古人的字畫都要裝裱成軸，便於搬運展閱），馬房中的健卒根本擡不動，要特別挑選大力士才能勉勉強強扛著走。

在三巨軸的前言，歐陽澈這麼寫著：『臣所進三書實爲切要，然而其中觸怒權臣者有之，忤逆天聽者有之，結怨富貴之門有之，遷怒臺諫之官有之，臣並非不知，而敢抗言者，願以身而安天下也。』

好一個以身而安天下，這正是儒家思想中，士以天下爲己任的表現，讀書人以匡救天下爲自己的責任。中國古代以士爲四民（士農工商）之首，不是沒有道理的。所謂士，不是會識字、會做官之意，眞正的士是有理想有抱負有傻勁的君子，鄧肅、歐陽澈爲『書生報國』四個字寫下了一個最好的註腳。

閱讀心得

閱讀心得

歷代・西元對照表

朝　　代	起迄時間
五帝	西元前2698年～西元前2184年
夏	西元前2183年～西元前1752年
商	西元前1751年～西元前1123年
西周	西元前1122年～西元前 771年
春秋戰國(東周)	西元前 770年～西元前 222年
秦	西元前 221年～西元前 207年
西漢	西元前 206年～西元 8年
新	西元 9年～西元 24年
東漢	西元 25年～西元 219年
魏(三國)	西元 220年～西元 264元
晉	西元 265年～西元 419年
南北朝	西元 420年～西元 588年
隋	西元 589年～西元 617年
唐	西元 618年～西元 906年
五代	西元 907年～西元 959年
北宋	西元 960年～西元 1126年
南宋	西元 1127年～西元 1276年
元	西元 1277年～西元 1367年
明	西元 1368年～西元 1643年
清	西元 1644年～西元 1911年
中華民國	西元 1912年

國家圖書館出版品預行編目資料

全新吳姐姐講歷史故事. 20. 北宋－南宋/吳涵碧著. --初版.--臺北市；皇冠，1995〔民84〕
面；公分（皇冠叢書；第2486種）
ISBN 978-957-33-1230-7（平裝）
1. 中國歷史

610.9　　84007238

皇冠叢書第2486種
第二十集【北宋－南宋】
全新吳姐姐講歷史故事〔注音本〕

作　　者—吳涵碧
繪　　圖—劉建志
發 行 人—平雲
出版發行—皇冠文化出版有限公司
台北市敦化北路120巷50號
電話◎02-27168888
郵撥帳號◎15261516號
皇冠出版社(香港)有限公司
香港銅鑼灣道180號百樂商業中心
19字樓1903室
電話◎2529-1778　傳真◎2527-0904
印　　務—林佳燕
校　　對—皇冠校對組
著作完成日期—1992年01月01日
香港發行日期—1995年09月25日
初版一刷日期—1995年10月01日
初版二十九刷日期—2021年05月
法律顧問—王惠光律師

讀者服務傳真專線◎02-27150507
電腦編號◎350020
ISBN◎978-957-33-1230-7
Printed in Taiwan
本書定價◎新台幣150元/港幣45元